CU L.E.

punto final

Mª. del Carmen Marcos de la Losa
Mª. Rosario Obra Rodríguez

edelsa
GRUPO DIDASCALIA, S.A.

créditos

Primera edición: 1997
Primera reimpresión: 1998
Segunda reimpresión: 2000

Coordinación editorial: Departamento de Edición Edelsa.

Diseño de cubierta: Departamento de Imagen Edelsa.
Maquetación y fotocomposición: Quatro Comunicación, S.L.
Fotomécanica: Trescan, S.A.
Imprenta: Peñalara, S.A.
Encuadernación: Perellón, S.A.

Fotografías: Brotons (Cubierta y portadillas Unidades, págs. 6, 13, 21, 24, 32, 33, 34, 39, 50, 51, 64, 66, 74, 84, 91, 92, 100, 103, 104, 112, 116, 117, 123, 124, 128, 131 y 132); Greenpeace (pág. 99); Periódico El Mundo (pág. 15); Perfumería Gal (págs. 40 y 41); Productora El Deseo (págs. 19, 20 y 21); Quatro (pág. 122); Telefónica (págs. 46 y 47).
Ilustraciones: Quatro Comunicación, S.L.; Instituto de la Mujer (pág. 13).

I.S.B.N.: 84-7711-192-8
Depósito legal: M-393-2000
Impreso en España
Printed in Spain

dedicatoria

A Genoveva y Manuel, mis padres.
Mª del Carmen Marcos de la Losa

A mis padres y a Paco, ellos saben mejor que nadie el porqué.
Mª Rosario Obra Rodríguez

● Agradecimientos de las autoras:

Profesionales

A la *Editorial Edelsa*, en especial a *Federica Toro*, por la confianza y apoyo permanente que han hecho realidad este proyecto, y a *Pilar Jiménez Gazapo*, por su profesionalidad y buen humor para llevar a buen puerto esta obra.

A todos los *alumnos y alumnas* que han pasado por nuestras aulas, por habernos ayudado con sus críticas y sugerencias en la orientación de este manual, y porque sin ellos nuestra experiencia no hubiera tenido eco.

A *Gaspar González Mangas*, por habernos encendido la luz para este trabajo, y por sus valiosas aportaciones, tanto en el contenido como en la estructura.

Personales

A mi familia y amigos, por apoyarme y estar siempre cerca.
Mª Rosario Obra Rodríguez

A Cristina, mi hija, a la que no he prestado en este tiempo la atención que merece:
Gracias por toda tu paciencia y comprensión en tu corta edad.
Mª del Carmen Marcos de la Losa

● Agradecimientos de la Editorial:

A Greenpeace España, a Perfumería Gal, a la Productora "El deseo" (P. Almodóvar), a RTVE y a Telefónica.

prólogo

Cuando nos planteamos elaborar este Curso nos movía el objetivo de lograr algo diferente para adentrar al estudiante de nivel avanzado en la profundización de la lengua y la cultura hispánicas y prepararlo para obtener el *Diploma Superior de Español como Lengua Extranjera*.

Y aquí está **Punto final**, cuya estructura tiene unas características que, a nuestro parecer, aúnan el necesario rigor que corresponde a un Nivel Superior, con la agilidad y el atractivo de un marco y un tratamiento novedosos:

✔ Cinco temas monográficos = Cinco Unidades bajo la forma de una revista :

    Unidad 1. **Qua**, dedicada a la mujer.
    Unidad 2. **Muy impactante**, a la publicidad.
    Unidad 3. **Guía semanal**, al ocio.
    Unidad 4. **Gea**, a la ecología.
    Unidad 5. **Cosmopolatino**, a rasgos y elementos hispánicos, es
                   decir, al mundo latino.

✔ Cada Unidad tiene cuatro secciones que tratan el tema desde perspectivas diferentes:

- ● ***Hablemos de...*** Textos referenciales de carácter general, extraídos de prensa o libros actuales.
- ● ***El ayer de...*** Esquemas históricos o/y textos de apoyo desde la perspectiva del pasado.
- ● ***¡Arriba el telón!*** Materiales audiovisuales representativos de géneros distintos: un anuncio publicitario, fragmentos de una película, de una obra de teatro, y de documentales.
- ● ***Palabras escritas por...*** Citas y textos literarios.

✔ Las secciones tienen elementos para desarrollar capacidades en las diferentes destrezas, siempre en torno a la temática de la Unidad correspondiente: así *¿Lo has entendido?* ejercita la comprensión lectora; *Tertulia*, la expresión oral; *Para no pegar ojo*, la expresión escrita como tarea para realizar fuera del aula; los variados textos grabados, la comprensión oral y, *Con chispa*, la adquisición de léxico mediante juegos creativos.

✔ El repaso, consolidación y ampliación de estructuras de lengua de mayor rentabilidad o/y complejidad se lleva a cabo en la sección teórica y práctica *Aprieta los codos*. El objetivo didáctico de la sección es, principalmente, el de la reflexión, convencidos, como dice el profesor Manuel Seco, de que "*la gramática no enseña a hablar; enseña a reflexionar sobre el habla*".

✔ Se han incluido constantes referencias a la lengua y la cultura de España y de la América hispanófona: la elección de textos, la sección *Ecos hispanos*, la *Tertulia* de la Unidad 5, etc. Porque somos conscientes de la necesidad de considerar la unidad de la inmensa diversidad del español - en sus aspectos lingüísticos y culturales- como la forma idónea de expresión común que nos identifica en el mundo.

✔ Al final de cada Unidad, para facilitar la consulta rápida y favorecer la autonomía del estudiante, el *Índice de autores* recoge los datos más relevantes de los escritores nombrados.

✔ Después de cada Unidad, un modelo completo de Preparación al Diploma Superior de Español como Lengua Extranjera, que ofrece una muestra de todas las pruebas. Sin embargo, la práctica de Expresión escrita -Prueba 2- está situada en la Unidad correspondiente, ya que va referida a un tipo específico de escrito y su tratamiento se halla en la sección *Aprieta los codos*.

Tres Apéndices:

● Transcripción de los Textos Auditivos de la Prueba 3 de los D.E.L.E.s.Las otras grabaciones del manual, p. ej. la sección *Hablemos de*, tienen el texto completo en su lugar correspondiente, ya que se ha grabado gran variedad de documentos para ampliar las posibilidades de explotación, combinando la práctica de la comprensión escrita con la comprensión oral cuando la dinámica de la clase lo aconseje o lo permita.

● Transcripción completa de los Documentos Audiovisuales de *¡Arriba el telón!*, ya que el tratamiento didáctico requiere en ocasiones que los textos no aparezcan en la Unidad y en otras que aparezcan incompletos.

● Documento fonético de apoyo: Características de los acentos no neutros representados en los auditivos, ya que, si bien los textos han sido grabados en su mayoría con acento español neutro - peninsular de la meseta, podríamos decir - se han incorporado muestras de la riqueza de otros acentos del español, en concreto, andaluz, catalán, mexicano y uruguayo. En el manual, en los textos grabados con estos acentos, junto al icono de cinta-audio que identifica a todos los textos auditivos, aparece la mención *Leído con acento catalán, uruguayo,* etc.

✔ Hemos elegido el tratamiento familiar, tan extendido en el español peninsular, es decir, *tuteamos* al alumno a lo largo de todo el manual, salvo en los D.E.L.E.s, donde, siguiendo la forma habitual en estas Pruebas, tratamos de Vd.

✔ Cuando los textos originales sobre los que se trabaja han sido reducidos se indica *Adaptado de*.

Confiamos en haber logrado un material que responda a las expectativas y necesidades de este nivel y agradeceremos cuantas sugerencias, críticas y comentarios nos hagan llegar por intermedio de la Editorial o en la siguiente dirección electrónica: **punto.final@mad.servicom.es**

LAS AUTORAS

ÍNDICE POR UNIDADES

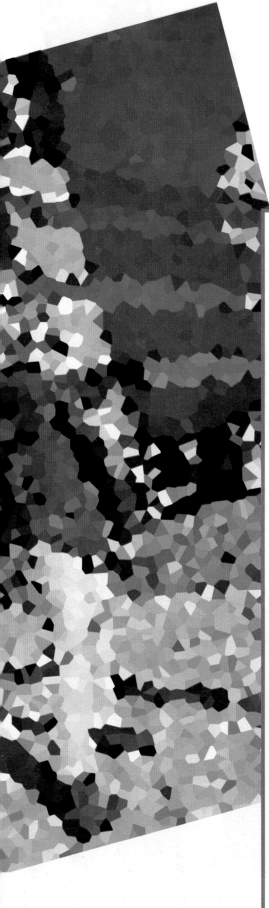

sumario   pág.

Hablemos de...

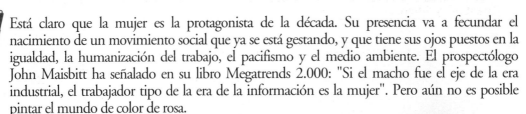

La Mujer

La mujer de los 90 dice adiós. ¿Qué nos espera en el año 2.000?

Está claro que la mujer es la protagonista de la década. Su presencia va a fecundar el nacimiento de un movimiento social que ya se está gestando, y que tiene sus ojos puestos en la igualdad, la humanización del trabajo, el pacifismo y el medio ambiente. El prospectólogo John Maisbitt ha señalado en su libro Megatrends 2.000: "Si el macho fue el eje de la era industrial, el trabajador tipo de la era de la información es la mujer". Pero aún no es posible pintar el mundo de color de rosa.

La evasión se ha convertido en una filosofía de vida. Se inicia una época de nomadeo, de viajes que llevan a mundos exóticos. También, por comodidad o por falta de recursos, se abre camino el viajero inmóvil, que transforma su hogar en un centro neurálgico desde el que puede trabajar, viajar (a través de los libros, vídeos o televisión) o comunicarse con el exterior a través de una red informatizada.

Los sentimientos de nuevo mueven montañas. Entramos en una década más tierna en la que el romanticismo y la afectividad comienzan a colocar una losa sobre las relaciones superficiales. La pareja estable gana adeptos. No hay más que observar la proliferación de bodas o el deseo creciente de los jóvenes por casarse y vivir una historia más duradera, aunque esto choque con una realidad: la falta de un lugar físico en el que poder establecer la residencia fija.

El divorcio no cesa, continúa engrosando sus filas. Es en la época de crisis cuando los extremos obtienen más afiliados. Cada vez hay más familias formadas por un padre o una madre y los hijos. Hay una decisiva vuelta al hogar, en el que se crea un microcosmos íntimo. Pero también comienza a servirse el "hogar a la carta", en el que cada uno entra y sale cuando quiere de la casa, los ritmos son individuales, y hay un nivel muy alto de libertad. Las parejas tendrán cada vez menos hijos. La media de nacimientos española comienza a ser preocupante, es más baja que la del resto de los países europeos.

(Adaptado de DUNIA: "La década nómada")

■ ■ ■ ■ ■ ■
¿Lo has entendido?

1 **Las siguientes frases sintetizan los conceptos fundamentales desarrollados en el texto. Ponlas en orden y crea una que exprese el tema o idea principal.**

☐ La evasión como filosofía de vida.
☐ Hogar: lugar de intimidad y libertad.
☐ La mujer: protagonista de la década.
☐ Los sentimientos mueven montañas.
☐ La era de la información.
☐ Nuevo movimiento social.

2 **¿Qué frases del texto explican la contradicción entre "pareja estable" y "divorcio"?**

3 **Contesta con Verdadero o Falso las afirmaciones siguientes.**

	V	F
Conceptos como pacifismo, humanización e igualdad serán valores en desuso.	☐	☐
La mujer será el trabajador tipo de la era de la información.	☐	☐
Evadirse es la filosofía de vida de esta década.	☐	☐
El romanticismo y la afectividad vuelven a colocar una losa sobre las relaciones superficiales.	☐	☐
La vuelta al hogar se entiende como una disminución en el descenso del número de divorcios.	☐	☐
La expresión "hogar a la carta" se refiere a "comer a la carta".	☐	☐

4 **Relaciona las expresiones, extraídas del texto, con las definiciones siguientes :**

EXPRESIONES

1. Tener los ojos puestos en ...
2. Abrirse camino.
3. Mover montañas.
4. Colocar una losa.
5. Engrosar las filas.

DEFINICIONES

A. Hacer realidad hechos casi imposibles
B. Aumentar el número de componentes de un grupo.
C. Tener elegido lo que se desea.
D. Ir eliminando obstáculos en la consecución de algo.
E. Conjunto de barreras que dificultan la realización de una acción.

5 **Indica en cada par de términos qué caracteriza mejor la "década" en que la mujer es la protagonista.**

Igualdad / Desigualdad.
Humanización / Deshumanización
Pacifismo / Belicismo.
Ecologismo / Contaminación.
Fidelidad / Divorcio.

6 # Profundiza

a **Al igual que década corresponde a 10 años, ¿cuántos años son un lustro, un cincuentenario y un centenario?**

¿Lo has entendido?

---

b **¿Cuál de estas tres palabras significa** *Gestar*?

◆ Tramar   ◆ Florecer   ◆ Madurar

c **¿Conoces otros términos finalizados en** *-ismo*?

EJEMPLO: *PACIFISMO*

d **Forma frases con los siguientes sinónimos del verbo** *mover: agitar, trasladar, sacudir, deslizar, vibrar.*

e **Sustituye los modismos en cursiva por expresiones normales.**

◆ En estos momentos la situación *está al rojo vivo.*
◆ Sin saberlo *dio en el blanco* al tomar esa decisión.
◆ Desde que se le hundió el negocio, *está sin blanca.*
◆ En su último trabajo *las pasó moradas.*
◆ En cuanto se da la vuelta, sus compañeros *lo ponen verde.*
◆ Dice ser *de sangre azul,* por parte de un abuelo paterno.
◆ Es *un viejo verde,* siempre anda tras las chicas jóvenes.
◆ A pesar de sus problemas sentimentales, sigue viendo su vida *de color de rosa.*

f **Di cuál de las formas escritas es la correcta.**

Se quedó **immóvil / inmóvil** al entrar en casa.
Siempre es el **protagonista / protagonisto** en las fiestas.
Al hacer tanto viento se le escapó **el cometa / la cometa.**
Te habrá explicado el **porqué / por qué** de su cólera.
De repente se derrumbó la **valla / vaya** publicitaria.
Lo han **hechado / echado** sin darle ninguna explicación.
Lo entrevió **a través / através** del cristal.

---

7 Ecos hispanos: ¡Mujeres que hacen camino! RIGOBERTA MENCHÚ.

LO QUE HA HECHO

◆ Nace el 9 de Enero de 1995 en una aldea llamada Chimel, al norte de Guatemala.
◆ Con cinco años empieza a trabajar con sus padres, campesinos, en las grandes fincas de la costa sur de su país.
◆ Toma el camino del compromiso testimonial que le llevará a exiliarse a México, y allí iniciar su lucha cívica en defensa de los pueblos indios y mestizos de Guatemala.
◆ Consigue el Premio Nobel de la Paz en 1992, convirtiéndose en la más joven ganadora.

LO QUE HAN DICHO DE ELLA

◆ El comité noruego subraya "su trabajo a favor de la justicia social y la reconciliación entre los diferentes grupos étnicos, basada en el respeto por los derechos de los pueblos aborígenes".
◆ Francisco Umbral (escritor): "Es la madre coraje de toda una raza".
◆ Pierre Mauroy la define como "una heroína de la lucha que sostienen los pueblos indígenas por sus derechos".

Texto de Miguel Gómez. (Adaptado de *La Revista*).

1.- Clasifica a mujeres que conozcas o admires en función de los siguientes adjetivos:

La más: comprometida, popular, aventurera, influyente, culta, feminista, humana, simpática, trabajadora, inteligente.

2.- ¿Con cuáles de estos adjetivos definirías a Rigoberta Menchú?

EL CAFETÍN

tema: "Diferencias entre sexos".

Nadie es perfecto... Los defectos y las cualidades están repartidas por ambos sexos. Lo difícil es aceptar los primeros. Intentémoslo.

actividad motivadora   +/- 15 minutos

Los alumnos, en grupo, elaborarán una lista de los 5 defectos y las 5 cualidades más relevantes del sexo contrario.

◆ Actitud ante la belleza. Relaciones afectivas. Valor dado al dinero.
   Ambiciones políticas. Aptitudes laborales. 10 minutos.
◆ Se seleccionan las ideas (5+5) que obtengan más unanimidad. 3 Minutos.
◆ Se ponen en común los resultados. 2 Minutos.

debate   +/- 30 minutos

DESARROLLO 25 minutos

◆ Disposición de los alumnos en círculo.
◆ El moderador expone brevemente el tema.
◆ Intervenciones espontáneas.

CONCLUSIÓN 5 minutos

◆ Intervenciones individuales breves.
◆ Conclusiones del moderador.

UTILIZA PARA EXPRESAR TU OPINIÓN Y MANIFESTAR TU ACUERDO O DISCREPANCIA CON LAS DE TUS COMPAÑEROS

Dar una opinión

Opino/creo/pienso que
Me parece que
Considero que
Desde mi punto de vista
Yo, personalmente...
Por mi parte ...
Según mi parecer/mi opinión
Según (persona)

Estar o no de acuerdo

Sí, sin duda ...
Reconozco que tiene razón ...
Ni pensarlo
No había pensado en eso.
Probablemente sí
Por supuesto
Opino lo mismo/Somos de la misma opinión
De ningún modo...
No siempre
No exactamente ...

Insistir

Mantengo que ...
Subrayo lo que he dicho ...
No hay que olvidar que ...

¡Para no pegar ojo!

Elabora una composición escrita, aportando argumentos a favor o en contra de alguna de las siguientes afirmaciones :

● La intuición es femenina.
● Los hombres no lloran.
● Detrás de un gran hombre siempre hay una gran mujer.
● Detrás de una gran mujer, siempre hay ...

Para llevar a cabo este ejercicio sigue estas recomendaciones

◆ Presentar el tema con una introducción.

◆ Estudiar los pros y los contras o argüir a partir de expresiones de posibilidad, convicción, juicio,...

◆ Incluir "argumentos de autoridad": Referencias, citas, opiniones autorizadas,...

◆ Dar una conclusión.

Perífrasis de gerundio

Perífrasis que sirven para expresar el inicio de una acción.

- **Salir + Gerundio** (Inicio brusco de un movimiento) *to star...*
  Si no sales corriendo, perderás el autobús.
- **Empezar + Gerundio**
  Empezó hablando con mucho énfasis, pero al final decayó la conferencia.

Perífrasis que indican el final de una acción o proceso.

- **Acabar + Gerundio**
  Acabó alejándose de todos los amigos de la infancia. *to finish by ~*
- **Salir + Gerundio** (Con los verbos: perder y ganar)
  En las discusiones siempre sale ganando. *to come out wining / losing*

Perífrasis que expresan el desarrollo gradual de una acción.

- **Ir + Gerundio**
  Voy mejorando mi acento en español. *is gradually / little by little*
- **Quedar (se) + Gerundio**
  Se quedó leyendo toda la tarde. *to carry on ~*
- **Seguir + Gerundio** *to go on / keep on ...*
  Sigue estudiando español, a pesar de tener ya un buen nivel.

Perífrasis que expresan insistencia y repetición de una acción.

- **Andar + Gerundio**
  Siempre andas mandando cartas a los periódicos. *to be always ~*
- **Venir + Gerundio** ''
  Esos casos vienen sucediendo cada vez más hoy día.

---

1 Escribe los gerundios de los siguientes verbos e inventa frases con la construcción Estar + Gerundio (*Se está gestando...*) y Continuar + Gerundio (*Continúa engrosando...*):

Advertir, atraer, concluir, contradecir, caber, decaer, freír, gemir, hacer, herir, asentir.

2 Relaciona cada infinitivo con la oración apropiada y construye la perífrasis correcta (Algunas frases admiten varias soluciones):

Ir, Seguir, Acabar, Llevar, Estar, Quedar.

- El nuevo sistema educativo ___acabó___ _convinciendo_ (*convencer*) incluso a los sectores más reticentes.
- *Llevar?* Se ___quedaron___ _dialogando_ (*dialogar*) hasta que llegó la hora.
- ___Andan buscando___ (*buscar*) una solución al conflicto pero todavía sigue como al principio.
- El teatro español ___va/sigue tirando___ (*tirar*) a pesar de la crisis.
- ___Están___ _terminando_ (*terminar*) las obras de la nueva autovía.
- La ciudad _____ (*expandirse*) hacia los alrededores. _se sigue expandiéndose etc._

3 Transforma las siguientes frases en otras sin perífrasis.

*La economía va mejorando día a día. (La economía **mejora** día a día).*

◆ Salieron huyendo de las inmediaciones al declararse el incendio.

Surrounding areas

huyeron

◆ Desde que la conozco viene contando los mismos sueños a sus conocidos.

cuenta

◆ Terminó aceptando el puesto a pesar de las dificultades de última hora.

Aceptó

◆ Con el paso de los años, su aspecto ha ido mejorando.

apariencia

ha mejorado

◆ Las próximas generaciones acabarán realizando sus ideales.

realizarán _realizan_

◆ Andan diciendo que vendrán tiempos difíciles.

Dicen

4 Clasifica las siguientes oraciones según indiquen inicio, final, desarrollo o repetición de la acción.

◆ Siguió actuando, a pesar de su avanzada edad. *desarrollo*
◆ Su proyecto va tomando forma con el paso de los días. *desarrollo*
◆ Acabó reconociendo su error. *final*
◆ Id subiendo que ya os alcanzaremos. *inicio*
◆ ¿Andáis haciendo todavía obras en la casa? *repetición*
◆ Desde hace unos días, viene pensando en cómo decírselo. *repetición*
◆ Salió gritando de la sala inesperadamente. *final*

5 Forma una perífrasis de gerundio partiendo de los siguientes verbos :
venir, ir, andar, quedarse, salir, seguir , acabar.

Perífrasis de participio

Perífrasis que indican el final de una acción o proceso.

◆ **Tener + Participio**
*Ya **tengo preparado** todo para la fiesta.*
◆ **Quedar + Participio**
*Por fin, todo **quedó arreglado** y en su sitio.*
◆ **Dar por + Participio**
*Después de una intensa búsqueda **dieron por desaparecido** al perro.*

Perífrasis que expresan el desarrollo gradual de una acción.

◆ **Andar + Participio**
*Siempre **anda cansado** y con cara de pocos amigos.*
◆ **Tener + Participio**
*El médico me **tiene prohibido** que fume.*

> Perífrasis que expresan acumulación por reiteración de la misma acción.
>
> ◆ **Llevar + Participio**
>
>   Con éste, ya **llevo hechos** tres cursillos.
>
> ◆ **Tener + Participio**   *I keep on telling you...*
>
>   Te **tengo dicho** que no comas golosinas antes de comer.

1 **Transforma el segundo verbo en un gerundio o participio según convenga para completar la perífrasis.**

*Mi padre (llevar-trabajar) **lleva trabajando** en esta empresa 15 años.*

Mientras yo (*ir - leer*) _voy leyendo_ tú (*ir - planchar*) _vas planchando_
Con este coche yo (*llevar - hacer*) _llevo hecho_ 10.000 Km.
Nosotros (*salir - ganar*) _salimos ganando_ con el cambio de dólar a peseta.
Este escritor (*llevar - publicar*) _lleva publicado_ muchos libros.
Le (*dar por desaparecer*) _doy por desaparecido_ después de una infructuosa búsqueda.
Después de su separación todo (*quedar - olvidar*) _quedó olvidado_
Ella nos (*tener - decir*) _tiene dicho_ que nos descalcemos al entrar en casa.
Él (*seguir - llevar*) _sigue llevando_ el pelo corto igual que cuando lo conocí.

quitarse los zapatos

2 **Añade una forma verbal para completar estas perífrasis de participio.**

✓ Todo _queda_ preparado para el viaje de fin de curso.
✓ Ella _lleva_ hechos tres viajes a Africa.
✓ Nosotros _tenemos_ preparada una fiesta para el día de su cumpleaños.
✓ El portero nos _tiene_ dicho que no llamemos a los dos ascensores a la vez.
✓ Ellos _llevan_ comidas dos docenas de croquetas caseras.
✓ Los vecinos _tienen_ prohibido bañarse en la piscina en las horas de la siesta.
✗ El siempre _queda_ _anda_ preocupado por temas medio ambientales. *environmental*
Los medios de comunicación ___llevan___ finalizada la retransmisión del concierto.
dan por

pagar - ... broca

3 **Busca las perífrasis de este fragmento y defínelas según las clasificaciones anteriores.**

Ella tenía cumplidos ya los 21 años, pero su imagen seguía aparentando los 16. Había ido creciendo sin que nadie se ocupara de ella, pero a pesar de todo acabó teniendo la belleza serena de su madre. Andaba siempre deambulando por la casa o se quedaba jugando horas en el jardín, sin que nadie echara en falta su presencia. A la muerte de su padre se dio por terminada su educación, que nunca había sido otra que seguir los designios de la naturaleza y del libre albedrío.

Voluntad

CON CHISPA

1 ¿Qué nos espera en el año 2.000? Imagínalo ampliando las respuestas.

a Alimentación : ¿Dieta Mediterránea o Comida sintética?

Dieta Mediterránea	Comida Sintética
◆ Tortilla de patatas	◆ Fibra líquida
◆ _____	◆ _____
◆ _____	◆ _____

b Tipo de mujer/hombre:

Mujer
- ◆ Rellenita y con delantera
- ◆ _____
- ◆ _____

Hombre
- ◆ Seco como un palillo
- ◆ _____
- ◆ _____

c Moda: ¿Cuál será la prenda estrella de la próxima década

◆ Trajes metalizados	◆ _____
◆ Camisetas de fibra óptica	◆ _____
◆ _____	◆ _____

d Ocio: ¿A qué no renunciarías en el siglo XXI?

◆ Unas vacaciones en Río de Janeiro	◆ Un ligue en Venecia
◆ _____	◆ _____
◆ _____	◆ _____

2 Improvisa un diálogo a partir de las siguientes expresiones:

- ◆ NO DAR PALO AL AGUA.
- ◆ ESTAR HECHO POLVO.
- ◆ CAÉRSELE A UNO LOS ANILLOS.
- ◆ DARSE UNA PALIZA.
- ◆ HACER LA COLADA.
- ◆ PASAR LA FREGONA.
- ◆ HARTARSE DE...
- ◆ ESTAR BUENO.

3 ¿Qué funciones asignaríais a la mujer o al hombre en el año 2000 en cada uno de los campos siguientes?

HOGAR

M H
1. Hacer la compra
2. Cocinar
3. Cuidar las plantas
4. Reparar electrodomésticos
5.
6.
7.
8.

OCIO

M H
1. Salir con amistades
2. Ver partido de fútbol
3. Ir a la peluquería
4. Pasar el rato en el bar
5.
6.
7.
8.

TRABAJO

M H
1. Conductor de autobús
2. Presidente de gobierno
3. Animador espectáculo erótico
4. Militar
5.
6.
7.
8.

a Completad las funciones.

b Asignad por escrito las funciones y razonadlas por grupos.

c Poned en común los resultados.

La Mujer

Esquema histórico

mujeres que dejaron huella

1.889 - 1.957	Gabriela Mistral. Poetisa chilena. Premio Nobel de Literatura en 1945.
1.898 - 1.987	Victoria Kent. Abogada. Fue la primera mujer en ingresar en el Colegio de abogados de Madrid.
1.900 - 1.981	María Moliner. Lexicógrafa. Su diccionario es una obra maestra.
1.903	Dulce María Loynaz. Poetisa cubana. Recibió el premio Cervantes.
1.905 - 1.994	Federica Montseny. Política anarquista y ministra de Sanidad en la segunda república española. Primera española en dirigir un ministerio.
1.907	Frida Kahló. Pintora mexicana. Estuvo casada con el pintor muralista Diego Rivera.
1.907 - 1.996	Carmen Conde. Escritora perteneciente a la generación del 36.
1.907 - 1.991	María Zambrano. Escritora y filósofa española.
1.909 - 1.983	Mercé Rodoreda. Escritora. Conocida por su novela *La plaza del diamante*.
1.918	Gloria Fuertes. Poetisa. Famosa por su obra en Literatura infantil.
1.921	Carmen Laforet. Se dio a conocer con la novela *Nada*, premio Nadal en 1.944.
1.925	Carmen Martín Gaite. Novelista y ensayista acreditada con numerosos premios literarios.
1.926	Ana Mª Matute. Escritora. Una de las grandes voces de la literatura de postguerra.
1.936	Carmen Rico Godoy. Periodista y escritora.
1.941	Victoria Campos. Política española.
1.941	Cristina Peri Rossi. Cuentista, novelista y poeta uruguaya.
1.942	Isabel Allende. Escritora chilena.
1.944	Soledad Becerril. Política española que fue ministra en el gobierno de Adolfo Suárez.
1.945	Cristina Almeida. Política, abogada laboralista y feminista.
1.946	Cristina Alberdi. Ministra de Asuntos Sociales en el último gobierno de Felipe González.
1.946 - 1.993	Montserrat Roig. Novelista en lengua catalana.
1.947	Soledad Puértolas. Ensayista y escritora.
1.949	Angeles Mastretta. Periodista y escritora mexicana.
1.959	Rigoberta Menchú. Premio Nobel de la Paz en 1992, por su lucha en favor de los pueblos indígenas.

Y un sinfín de mujeres más que han dejado y seguirán dejando huella

fin de siglo: testigo directo

MARTINA RIPALDA ARBEA

Tiermas (Aragón). 11 de noviembre de 1897.
Soltera, hija de labradores. Fueron siete hermanos. Actualmente vive en la Residencia de Ancianos de Lodosa (Navarra).

Conocí al Rey de España, Alfonso XIII, porque venía al balneario de mi pueblo, en Tiermas. Era un balneario buenísimo de aguas termales. Teníamos una casa junto al balneario, con trilla, cuadras, hornos y mucha huerta. Mi madre amasaba el pan y al tercer día nos quedábamos sin nada porque daba a otras personas. Y mi padre se enfadaba. "¡Tendremos que comer basura!", gritaba. Iba mucha gente al balneario. Porque unos señores, no sé si de Valencia, o Sevilla o Madrid, hicieron un hotel grande. Y había una fonda. Y mi madre, a las gentes que iban, les regalaba verdura y fruta. Y mi padre: "¿Pero por qué haces esto?". Y ella respondía: "¡Cómo no les voy a dar si la fruta la echamos a los cerdos!". Mi madre era muy buena. Y los dueños del hotel me decían: "Martina, prepara alguna caballería para que monten las señoritas...". Porque teníamos unas yeguas muy buenas. Las señoritas eran las hijas del dueño del balneario; pero también las yeguas eran para que montase el Rey. He trabajado mucho. Sobre todo lavaba y planchaba para mis hermanos. De joven me fui a Cuba con unos señores muy bien de Zaragoza. Mi madre no quería que me marchase. Sufrió mucho. Yo la consolaba. "Madre, no se preocupe. Si se pone así no me voy". Me fui para un año. Estuve cuatro. Me encargaba de los niños. Los llevaba al colegio y, al regreso, me tenían preparada una sillita baja para que a la puerta de casa les hiciese labores. Me ha gustado mucho hacer gancho y punto... ¡Pero es que he hecho tanto gancho en mi vida!. No me ha hecho falta nada. Ni casarme... Pero estas fotos. ¿Cuándo me han hecho estas fotos? ¿Cómo se las voy a pagar? ¿Vendrán a verme algún otro día?.

Texto de Mª José Vidal (Adaptado de *EL Mundo*)

¿Lo has entendido?

1
¿Cuál es el tema del texto?

- ◆ Vida de los españoles bajo el reinado de Alfonso XIII.
- ◆ Biografía de una centenaria.
- ◆ Las mujeres y el trabajo al principio del siglo en Asturias.

2
Haz una lista de todas las indicaciones de tiempo y de lugar para reconstruir los recuerdos de Martina Ripalda.

3
Busca en el texto frases que describen el difícil mundo de las clases humildes, en los primeros años del siglo XX.

4
Subraya las palabras que no pertenecen al texto.

Enfadarse. Emancipación. Lavar. Cuadras. Incomprensión. Defensora. Balneario. Luchadora. Consolar. Sufrir. Basura. Burguesa.

5
Define con tres adjetivos de carácter al padre, a la madre y a Martina Ripalda.

6
Reemplaza las formas en negrita por otras similares.

7
Compara la infancia o juventud de Martina Ripalda con la tuya.

▪▪▪▪▪▪▪ **¿Lo has entendido?**

8 **Hoy en día, a las puertas del s. XXI, ¿todavía siguen vigentes estos refranes? Opina.**

- ◆ La mujer y el melón cuanto más madura mejor.
- ◆ Mujer dicharachera poco casadera.
- ◆ La mujer en casa, y el hombre en la plaza.
- ◆ La mujer y la sardina, cuanto más pequeña, más fina.
- ◆ La mujer moza y viuda poco dura.
- ◆ La mujer y el niño, sólo callan lo que no han sabido.
- ◆ Naipes, mujeres y vino, mal camino.

Aprieta los codos

GRAMÁTICA

La narración

Definición: es un relato (cuento, anécdota, suceso verdadero o imaginario) de algo que sucede, habitualmente, una sola vez. Se va desarrollando según un orden cronológico.

Pautas
- ◆ Se exponen los hechos o materia narrada.
- ◆ Se describe a los personajes (protagonista, otros personajes,...) y el ambiente.
- ◆ Se hace hincapié tanto en las sensaciones y sentimientos que provocan los lugares, personas o hechos como en el desarrollo de la acción.
- ◆ El desenlace cierra el escrito.

Características:

Tiempo narrativo: Pretérito Perfecto, Pluscuamperfecto e Indefinido.

Texto leído con acento catalán

Cuando su madre le dijo que ya podía ir preparándose la ropa para irse a casa de Camila a dar a luz, Teresa encontró, guardado bajo un montón de camisones, el corazón de jabón. Lo cogió con rabia y se lo frotó por la mejilla; era duro, era frío, ya no olía. Le dieron ganas de tirarlo. No a la basura. No a un sitio feo. Se lo llevó envuelto dentro de la ropa que necesitaría. El piso de Camila era por el estilo del de su madre: en un callejón de los más estrechos, junto a la Boquería y a la calle de la Petxina. En cuanto se quedó sola, cuando Camila salió para ayudar a su madre en el mercado, cogió un jarro de cristal cubierto de polvo que había en el estante más alto de la cocina, lo llenó de agua y tiró dentro el corazón de jabón. Lo escondió en la mesita de noche. Más adelante, cuando ya había tenido el niño y tuvo que regresar a casa de su madre que no daba pie con bola, miró el jarro. El corazón de jabón se había disuelto y el agua había quedado turbia. La echó por el fregadero. Tuvo plena conciencia de que acababa de echar con ella su juventud.

El espejo roto. (MERCÉ RODOREDA).

DELE superior

PRUEBA DE PREPARACIÓN AL DELE. EXPRESIÓN ESCRITA. REDACCIÓN.
- ◆ Escribe una redacción de 150 - 200 palabras (15 - 20 líneas)

En algún momento de tu vida habrás tenido que desprenderte de algo muy importante para ti; cuenta ese momento en una redacción en la que relates:

- ◆ Cuándo, cómo y dónde fue.
- ◆ Los motivos que te llevaron a esa acción.
- ◆ Los personajes y los pensamientos que te acompañaban.
- ◆ En qué te marcó ese gesto.

16 Qua

Los pasados: usos y valores

Pretérito perfecto: Expresa acciones realizadas en el pasado (terminadas) en un tiempo que se prolonga hasta el presente.

*En mi vida **he hecho** mucho ganchillo.*

- ◆ Empleo de marcadores de tiempo: *todavía, hoy, esta semana, este mes, siempre,* etc.
- ◆ Valor de futuro inmediato.

    ***Dentro de tres días he terminado** el proyecto y te lo entregaré.*

- ◆ Valor psicológico de pasado reciente.

    Se ha sacado** el carnet **el mes pasado.

Pretérito indefinido: Expresa acciones realizadas en el pasado (terminadas), en un tiempo que no posee conexión con el presente.

***Fue** una firme defensora de la cultura.*

- ◆ Empleo de marcadores de tiempo: *ayer, anoche, la semana pasada, el mes pasado, hace dos años, una vez,* etc.

    El año pasado lo condecoraron.

- ◆ Valor de Pluscuamperfecto de indicativo: expresa una acción interrumpida en un punto del pasado.

    *Se **alegró** de lo ocurrido hasta que le comunicaron el error.*

- ◆ Hábitos regionales: Uso trasladado del Pretérito Indefinido por Pretérito perfecto, especialmente en Hispanoamérica, Galicia y Asturias.

    ***Hoy vine** / he venido pronto a recoger el correo.*

Pretérito imperfecto: Expresa acciones realizadas en el pasado (inacabadas, sin especificar principio ni fin), en un tiempo que no posee conexión con el presente.

*Mi madre **amasaba** el pan.*

- ◆ Narración.

    *"**Estaba agachado**. Me **presentaba** la popa de una manera tan ridícula, tan a mano, que no pude resistir la tentación de empujarle."* [Max Aub]

- ◆ Simultaneidad.

    *Mientras **hablaba** el conferenciante, el público **guardaba** silencio.*

- ◆ Intención.

    ***Iba a** llamarte ahora mismo.*

1 **Construye frases en pasado a partir de estos verbos.**

Buscaban .... / Ha perseguido ... / No daba crédito ... / No ha sabido reaccionar .... Estaba muy afectado ... / Se atrevieron ... / Abría ... / Hemos apostado ... / Sollozó

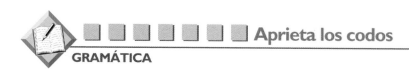
2 Sustituye los verbos conjugados en presente por formas verbales de pasado. Discute los valores de los tiempos.

Matilde Urrutia, Mi mujer

Mi mujer es provinciana como yo. Aunque esto no interesa a nadie, somos felices. Dividimos nuestro tiempo en común en largas permanencias en la solitaria costa de Chile. No en verano, porque el litoral reseco por el sol se muestra entonces amarillo y desértico. Sí en invierno, cuando en extraña floración se viste con las lluvias y el frío, de verde y amarillo, de azul y de purpúreo. Algunas veces subimos del salvaje y solitario océano a la nerviosa ciudad de Santiago, en la que juntos padecemos con la complicada existencia de los demás.
Matilde canta con voz poderosa mis canciones.
Yo le dedico cuanto escribo y cuanto tengo. No es mucho, pero ella está contenta.
Ahora la diviso cómo entierra los zapatos minúsculos en el barro del jardín y luego también entierra sus minúsculas manos en la profundidad de la planta.

Confieso que he vivido (PABLO NERUDA).

3 Señala los posibles errores en los tiempos de los pasados e indica la forma correcta.

Ayer, enfrente de la esquina de siempre me encontraba con María. Nos poníamos a charlar, hacía tanto que no nos vimos que el tiempo transcurrió en un abrir y cerrar de ojos. Habíamos estado charlando dos horas y me pareció que llevábamos un minuto allí detenidas mientras anocheció lentamente. Cuando nos habíamos encontrado era aún de día, pero ahora la tarde ya había empezado a caer sobre la ciudad.

4 Completa los espacios en blanco con una forma del pasado.
Pasa el fragmento a Estilo Indirecto.

Cuando (dirigirse) _____ a casa de Alicia (chispearon) _____ sus ojos negros debajo de las cejas blancas. (Él, irse) _____ a hacer feliz a su romántica Ortiga. (Ser) _____ muy bueno pensar en hacer felices a los demás. De esto (ocuparse) _____ poco De Arco durante su alocada vida, aunque de ningún modo (dejar) _____ nunca de ser cordial y generoso a su manera. (Tener) _____ ganas de preguntar al chófer si (ser) _____ feliz ... Y (preguntárselo) _____ .

- ¿Cómo dice, señor? ... Vaya, pues vamos tirando con siete chiquillos a cargo de uno y pocos posibles.

De Arco (estar) _____ a punto de preguntarle cuánto (ganar) _____, pero (contenerse) _____ prudentemente.

- Tiene usted más suerte que yo, Antonio, con tener esos siete hijos.

También (avergonzarse) _____ ligeramente de esta frase. Es verdad que él (perder) _____ a su hijo único, pero aquello (pasar) _____ ya, desde luego, y por otra parte el muchacho (estar) _____ bien independizado cuando aquello (ocurrir) _____ y (preocuparse) _____ bien poco de él ...

Afortunadamente, el automóvil (detenerse) _____ delante de la casa de Alicia antes de que los pensamientos de De Arco se tiñesen de melancolía. Unos minutos más tarde De Arco (recibir) _____ una sorpresa desagradable: Alicia (presentarse) _____ acompañada de una señora enorme y azoradísima debajo de su sombrero negro.

La llamada. (CARMEN LAFORET).

◼ ◼ ◼ ◼ ◼ ◼
¡Arriba el telón!

Pedro Almodóvar

"De la telefónica a ser candidato a un Oscar, la vida de Pedro Almodóvar, parece una versión moderna del cuento de la cenicienta. Sólo que, hasta llegar a ser el director de cine español más conocido fuera de nuestras fronteras, el camino ha sido largo y el trabajo arduo"." "Mariano F. Sánchez"

Pepa e Iván son actores de doblaje. Iván es un hombre enamoradizo y mujeriego. Tras una relación de años, abandona a Pepa dejándole un recado en el contestador para que le prepare una maleta con sus cosas. Para ella la casa es un constante recuerdo de su relación y decide ponerla en alquiler.

Mientras Pepa espera la llegada de éste, para recoger su equipaje, la casa se va llenando de personajes: Candela, Carlos, Marisa, la ex-mujer de Iván,..............,que irán descubriendo el complicado enredo del argumento.

SINOPSIS

"MUJERES AL BORDE DE UN ATAQUE DE NERVIOS"

visionado

UNA VEZ REALIZADO EL VISIONADO DE ESTE EXTRACTO, RELLENA LOS ESPACIOS EN BLANCO.

Situación: Interior del ático de PEPA:

1.-	(Llaman a la Puerta)	
	Carlos:	¡Buenos días!
	Candela:	¡Ah!
	Marisa:	¡Abran! Sabemos que está ahí.
5.-	Candela:	¿Qué querían?
	Carlos:	_____
	Candela:	¿Qué piso?
	Carlos:	Este.
	Candela:	¿Pá qué?
10.-	Marisa:	Para alquilarlo. ¿Para qué va a ser?
	Carlos:	_____
	Candela:	¡Ah! En todo caso, pasen, pasen, ... Yo no vivo aquí, la dueña es que ha bajado hace un momento.
	(Carlos y Marisa entran en el ático. Marisa lo observa todo.)	
15.-	Marisa:	¡Carlos!
	Carlos:	¿Sí, mi amor?
	Marisa:	Esto no me gusta. Está muy alto.
	Carlos:	_____
	Marisa:	Debe costar un ojo de la cara.
20.-	Candela:	¡Carísimo, carísimo!
	Carlos:	_____
	Marisa:	Yo, lo que quiero es una casa. Y esto no es una casa-casa.
	Candela:	La muchacha tiene razón. Yo creo que deberían irse.
	Marisa:	_____
25.-	(Marisa se dirige hacia el dormitorio donde aparece el colchón quemado)	

Marisa:	¡Carlos!
Carlos:	¿Sí, cariño?
Marisa:	_____
Carlos:	¡Joder!
30.- Candela:	¡Ay, la Pepa! ¡Cómo es!
Marisa:	_____

(Carlos coge de la mesilla de noche una foto donde aparece su padre)

Candela:	¡Deja eso! Usted, ¿qué es? Policía, ¿verdad?
Marisa:	_____
35.- Carlos:	¡No! No, no soy policía.

(Marisa coge a Carlos la foto de Iván)

Marisa:	Pero,... ¿éste no es tu padre?
Carlos:	Sí.
Candela:	_____
40.- Marisa:	¡Cállese! ¿Qué hace aquí?
Carlos:	Pues, no lo sé.
Marisa:	Y a ella, ¿la conoces?
Candela:	_____
Marisa:	¿Conoce a Pepa?
45.- Carlos:	No. Personalmente no, no la conozco.

(Aparece Pepa, de repente, apoyada en el marco de la puerta)

Pepa:	_____
Candela:	Pepa, ¿te has dado cuenta de la cama?
Carlos:	Creo que sí. Y usted, ¿sabe quién soy yo?
50.- Pepa:	Lo supe ayer. Aunque pueda ser tu madrastra, no me llames de usted, ¿eh? ¿Te ha mandado Iván a por la maleta?
Carlos:	No, estamos buscando piso.
Pepa:	_____
Carlos:	Hum. Ésta es Marisa.
55.- Pepa:	¿Quién?
Marisa:	Yo.
Pepa:	Ah, encantada.
Marisa:	Soy su novia. Vamos a casarnos.
Pepa:	¡Cuánto me alegro! Yo soy Pepa, la ex-amante del padre de Carlos.
60.- Candela:	Nosotras tenemos que hablar, Pepa...
Pepa:	_____
Candela:	¿Qué hay? Mucho gusto. Encantada.

¿Lo has entendido?

1

Procede al análisis del fragmento.

- Líneas 1-24: Comenta qué ambiente se respira en esta primera escena: tenso, relajado, surrealista,...
- Líneas 15-45: Estudia el carácter de Marisa a través de sus opiniones. El carácter de Carlos, ¿es cómico o surrealista? Justifica la respuesta.
- Líneas 31-51: ¿Qué reacción desencadena el descubrimiento del retrato?
- Líneas 46-60: ¿En qué partes del diálogo aparecen aspectos surrealistas? Señala las líneas.

2 Responde a las siguientes cuestiones

a ¿De qué procedimientos cómicos se vale el autor para presentar a las tres mujeres?

b ¿Qué visión ofrece Almodóvar de los tres personajes femeninos?

c ¿Cómo definirías la relación entre Marisa y Carlos?

d Analiza el recurso utilizado en el diálogo para pasar de la frialdad a la cordialidad.

3 Improvisa un guión a partir de uno de los siguientes títulos. Apóyate en el léxico que aparece a continuación: Utiliza de 100 a 150 palabras.

TÍTULOS

AMANTES
AY CARMELA
BELLE EPOQUE
TACONES LEJANOS
EL REY PASMADO

Expresiones Cinematográficas:

◆ Tratarse de
◆ Desarrollarse en
◆ Representar
◆ Protagonizar
◆ Surgir
◆ Expresar
◆ Desencadenarse
◆ Rodarse
◆ Dirigir
◆ Encontrarse

4 En el cine se desatan pasiones, odios, rencores, ... Elige la opción correcta a cada modismo y forma frases con cada uno.

◆ **Arder en deseos de**
  A- Tener ganas de hacer algo de forma imperiosa. ✓
  B.- Los deseos están ardiendo.
  C.- El tabaco acaba con los pulmones.

◆ **Hacer tilín**
  A.- Que suena una campana.
  B.- Que te atrae una persona. ✓
  C.- Que te gusta algo.

◆ **Líos de faldas**
  A.- La falda está arrugada.
  B.- "Con faldas y a lo loco".
  C.- Enredo amoroso masculino. ✓

◆ **Dárselas de D. Juan**
  A- Creer que se llama Juan.
  B.- Tener un cortijo en Sevilla.
  C.- Pensar que se es irresistible a las mujeres. ✓

◆ **Poner los cuernos**
  A.- Colgar unos cuernos en el salón.
  B.- Tu pareja tiene relaciones con otro/a. ✓
  C.- Poner antenas a la televisión.

◆ **Cada oveja con su pareja**
  A.- Que el pastor organiza el rebaño.
  B.- Cada uno con su media naranja. ✓
  C.- Dos personas pasean una oveja.

◆ **Dar calabazas**
  A.- Regalar una calabaza.
  B.- No aceptar la relación amorosa que el otro propone. ✓
  C.- Preparar un pastel de calabazas.

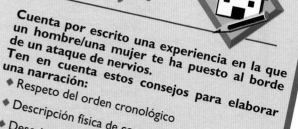

■ ■ ■ ■ ■ ■

¡Para no pegar ojo!

Cuenta por escrito una experiencia en la que un hombre/una mujer te ha puesto al borde de un ataque de nervios. Ten en cuenta estos consejos para elaborar una narración:

◆ Respeto del orden cronológico

◆ Descripción física de cosas y lugares.

◆ Descripción física y psíquica de personas.

◆ Utilización de marcadores que expresan el desarrollo de la acción: *Aún sigue, finalmente, por fin, año tras año, por minutos, etc.*

◆ Desenlace

Aprieta los codos

La expresión de la orden

Recuerda que además del imperativo, y muchas veces en lugar de él, se utilizan otras fórmulas para expresar la orden.

Fórmulas para mandar.

- A + Infinitivo:
    *¡**A poner** la mesa!*
- Futuro de Indicativo:
    ***No irás** a jugar hasta que termines los deberes.*
- Órdenes generales, avisos, prohibiciones:
    ***Prohibido** tirar basura.*
- Presente de Indicativo:
    *Tú, **te sientas** aquí, a mi lado.*

Imperativos gramaticalizados.

- ***¡Anda!*** - Extrañeza.
    *¡**Anda**! ¿Qué haces aquí?*
- ***¡Anda!*** - Enfado.
    *¡**Anda** éste! Por supuesto que es mío ese coche.*
- ***¡Dale!*** - Desaprobación ante la insistencia.
    *¡**Dale**! Que te he dicho que no sales el domingo.*
- ***¡Mira!*** - Énfasis.
    *¡**Mira** que eres plomo!*
- ***¡Mira!*** - Amenaza.
    *¡**Mira** que me chivo a la profesora!*
- ***¡Toma!*** - Certeza.
    *¡**Toma**! Naturalmente que iré.*
- ***¡Vaya!*** - Sorpresa.
    *¡**Vaya** frío que hace!*
- ***¡Vaya por Dios!*** - Expresión de lamentación.
    *¡**Vaya por Dios**!, otra vez he olvidado las llaves!*
- ***¡Vaya!*** - Admiración.
    *¡**Vaya** cochazo que se ha comprado!*
- ***¡Vaya, vaya!*** - Aprobación.
    *¡**Vaya, vaya** cómo ha mejorado!*
- ***¡Venga!*** - Incitar a la acción.
    *¡**Venga**!, date prisa!*
- ***¡Venga ya!*** - Incredulidad.
    *¡**Venga ya**, eso no te lo crees tú ni soñando!*
- ***¡Venga a .... venga a!*** - Repetición.
    *¡Yo **venga a** limpiar y tú **venga a** ensuciar!*

1 Pon en imperativo (2ª persona del singular y del Plural) los siguientes verbos:
*Evitar = **Evita, evitad**.*

Recoger / Levantarse / Organizar / Inspirar / Expirar /

Prepararse / Completar   Lanzarse / Dejar / Sacar / Sorber /

Abrir / Cocinar / Proponer / Disfrutar / Confeccionar

2 A continuación, completa el texto con los mismos verbos del ejercicio anterior, pero en 3ª persona del singular del imperativo.

Receta para un ama de casa perfecta.

(   ) *cuando el sol entra ya, hasta el fondo de la habitación.*

(   ) *los ojos lentamente e (   ) y (   ) hasta relajar cada músculo de su cuerpo. (   ) el día desde la cama.*

(   ) *un desayuno energético, a base de zumo de naranja, café recién hecho y tostadas con mermelada rica en calorías. (   ) el aderezo con la música de su autor favorito. Mientras (   ) el humeante café, (   ) deslizar sus ojos por el último libro que se autorregaló el día de la madre.*

(   ) *después, a las tareas domésticas con un talante relajado.*
(   ) *una lista de reparto de tareas para cuando llegue la familia.*

(   ) *ese menú que le tiene prohibido su conciencia y (   ) como si no lo fuera a comer la semana siguiente. (   ) a pasear al perro utilizando este pretexto para encontrarse con las amigas en la tertulia cotidiana del café.*

(   ) *a los niños a la salida del colegio, con un cartel que anuncie: "Hoy huelga de brazos caídos, mi sindicato me prohíbe trabajar".*

Cuando llegue su marido y toda la casa esté en perfecto orden (   ) que le regale una cena fuera de casa, porque ha sido un día agotador.

3 Sustituye estos imperativos por otras fórmulas de ruego o mandato.

*¡Vámonos, que ya es hora! - **Andando**, que ya es hora.*

- ◆ ¡Pásame el periódico! -
- ◆ ¡Tráigame la cuenta! -
- ◆ ¡Cállate y duérmete! -
- ◆ ¡Lávate las manos ahora mismo! -
- ◆ ¡Avísame cuando lleguen! -
- ◆ ¡Que te bajes, que ya hemos llegado! -
- ◆ ¡Dime qué hora tienes! -

Palabras escritas por...

Mujeres escritoras de España e Hispanoamérica

BIBLIOTECA DE AUTOR

ISABEL ALLENDE

DE AMOR Y DE SOMBRA

Mi madre fue el norte de mi infancia. Tal vez por eso me resulta más fácil escribir sobre las mujeres. Ella me dio un cuaderno para anotar la vida a la edad en que otras niñas juegan con muñecas y también me dio una pared de mi cuarto para que pintara allí las cosas que deseaba tener.

ISABEL ALLENDE

ALFONSINA STORNI
- Nació en Lugaggia (Suiza) en 1.892, de padres argentinos.
- Sus primeras poesías contienen influencias de Rubén Darío.
- En su colección *Ocre* (1.925) nos da una visión pesimista y dolorosa de la vida.
- Aquejada de cáncer, puso fin a su vida en 1.938 en Mar del Plata.

MONTSERRAT ROIG
- Nació en Barcelona (España) en 1.946.
- Publicó su primer libro *Molta roba y poc sabó* en 1.971.
- En 1.980 reunió en el volumen *¿Tiempo de mujer?* diversos artículos y ensayos sobre la condición femenina.
- Murió en Barcelona en 1.993 afectada de cáncer.

ISABEL ALLENDE
- Nació en Lima (Chile) en 1.942.
- Ha trabajado como periodista y escritora.
- Su primera novela *La casa de los espíritus* (1.982) la ha situado en la cúspide de los narradores latinoamericanos.

GLORIA FUERTES
- Nació en Madrid (España) en 1918.
- El carácter marcadamente oral y el buscado desaliño son las claves de la afectividad expresiva de su poesía.
- Sus libros principales son : *Isla ignorada* y *Poema del Suburbio*.
- Destacada autora de literatura infantil.

ANA MARÍA MATUTE
- Nació en Barcelona, en 1926.
- En su obra se une realidad y fantasía, originando un fascinante mundo de ficción iluminado por extraños fulgores poéticos.
- Entre sus obras más notables figuran : *Los Abel, Los niños tontos*, donde el mundo infantil es observado con dolorida ternura.

Relaciona a cada escritora con el fragmento de su obra.

"Hasta el aire parecía opaco e inmóvil. El toque de queda, murmuraron al unísono, sintiéndose atrapados, porque era imposible circular por las calles a esas horas."

De amor y de sombra

"Hay un cisne que muere cercado en un palacio.
Un cisne misterioso de ropaje de seda.
Que en vez de deslizarse en la corriente Leda
Se estanca fatigado de mirar el espacio".

Antología poética

"Y mientras ella se entretenía echándome a la cara los huesos de aceituna, yo la enseñaba a pronunciar bien el catalán. Al poco tiempo los sonidos parecían música, las jotas ya no chirriaban, sino que eran dulces y suaves."

La ópera cotidiana

"Doña Clementina devolvió "Pipa" a la niña según le había prometido y la niña seguía embebida en su juego ; la niña hablaba con "Pipa" del lobo, de la comida que no quería comer, y que sin embargo estaba muy buena."

La rama seca

"Calixto, el calamar, no seguía igual, Cambió de sitio y de estado, se casó con una calamara de su edad y tamaño y tuvieron muchos chipirones."

Un pulpo en un garaje

ANTOLOGÍA POÉTICA

De amor y de sombra

La rama seca

UN PULPO EN UN GARAJE

LA ÓPERA COTIDIANA

¡Para no pegar ojo!

Basándote en las palabras de Rosa Chacel, expresa tus sentimientos ante el mismo:

● Tengo tal necesidad de pensar por cuenta propia, que cuando no puedo hacerlo, cuando tengo que conformarme con alguna opinión que no arranca de mí, la acojo con tanta indiferencia que parezco un ser sin sentimientos.

ISABEL ALLENDE

(ver pág. 24 Palabras Escritas)

MAX AUB

Nació en París (1902), se nacionalizó en España donde residió hasta 1972. Es uno de nuestros grandes creadores contemporáneos.
Como novelista es autor de un magno ciclo sobre la guerra civil:
Campo cerrado (1943), **Campo abierto** (1951), **Campo de sangre** (1945), **Campo del Moro** (1963).
Otras novelas: **La calle de Valverde** (1961), **Jusep Torres Campalans** (1958).

ROSA CHACEL

(Valladolid, 1898-Madrid, 1994). Novelista española. En 1930 publicó su primer libro, **Estación. Ida y vuelta**, y en 1936 los sonetos **A la orilla de un pozo**. Marchó de España con su marido en 1937, y permaneció en el exilio, primero en Río de Janeiro y más tarde en Buenos Aires, hasta 1972.
Entre sus obras cabe citar **Teresa** (1941), **Memorias de Leticia Valle** (1946), **La sinrazón** (1960) y la trilogía **Barrio de Maravillas** (1976), **Acrópolis** (1984) y **Ciencias naturales** (1988), así como las colecciones de relatos **Sobre el piélago** (1952), **Ofrenda a una Virgen loca** (1961), **Icada, Nevada, Diada** (1971) y **Novelas antes del tiempo** (1981). Cultivó el ensayo (**La Confesión**, 1971; **Saturnal**, 1972) y publicó sus memorias: **Desde el amanecer** (1972) y **Alcancía: ida** (1940-1966) y **vuelta** (1967-1980) (1983), título que alude a su primera novela publicada. También escribió poesía: **Versos prohibidos** (1978).
En 1987 obtuvo el Premio Nacional de las Letras Españolas.

GLORIA FUERTES

(ver pág. 24 Palabras Escritas)

CARMEN LAFORET

Nació en Barcelona (España) en 1921. En 1944 ganó el Premio Nadal con su novela **Nada**, que constituyó un aldabonazo en la dormida conciencia de la época. Las novelas posteriores, aunque mejor construidas que **Nada**, no consiguieron superar el éxito inicial. Destacan **La isla y los demonios** (1952) situada en Canarias, **Insolación** (1963) y **El último verano**, novela corta de una serie de cuatro relatos humanos y vitales que transmiten al lector una realidad cruda.

ANA MARÍA MATUTE

(ver pág. 24 Palabras Escritas)

PABLO NERUDA

Nació en Chile en 1904. Residió varios años en Birmania, Ceilán y Java con cargos consulares. Fue cónsul de Chile en Madrid (1934-1938). En España se relacionó con F. García Lorca, Aleixandre y otros componentes de la "generación del 27". Es autor de **España en el corazón** (1937), **El canto de amor a Stalingrado** (1942), **Canto general** (1950), **Plenos poderes** (1962), la autobiografía poética **Memorial de Isla Negra** (1964), **Fin del Mundo** (1970), **Jardín de Invierno** (1974). Falleció en 1973.

MERCÉ RODOREDA

Nació en 1909 y falleció en 1983. Novelista española en lengua catalana. Colaboró en varias revistas y culminó su aprendizaje con la novela **Aloma** (1937). En 1939 se exilió y a partir de 1954 fijó su residencia en Ginebra. En su obra maestra, **La plaça del Diamant** (1962), refiere la sencilla historia de una mujer, extraída como tipo representativo de las capas populares barcelonesas. Otras obras importantes son: **El carrer de las Camelias** (1966), **La nueva Cristin y altres cantes** (1967), **Quanta, quanta guerra** (1980) y **El espejo roto**.

MONTSERRAT ROIG

(ver pág. 24 Palabras Escritas)

ALFONSINA STORNI

(ver pág. 24 Palabras Escritas)

PRUEBA 1: COMPRENSIÓN DE LECTURA

EJERCICIO PRIMERO

A continuación encontrará usted un texto y una serie de preguntas relativas a él. Seleccione una respuesta entre tres opciones.

MUJERES EN EL BORDE DEL PODER

A Marcial Romero, sociólogo, experto en el avance laboral femenino y sus consecuencias, le parece que las mujeres españolas están embebidas en una inversión continua de tiempo y esfuerzo. Que han aprendido a ofrecer disposición, disponibilidad y preparación, y a esperar no sólo dinero, sino también poder. Y que ya sólo les queda, en ese imparable toma y daca, rentabilizar tanta dedicación, si es que la rentabilizan.

En cualquier caso, le parece que las mujeres españolas han caminado, desde los años setenta, despacio y de continuo y que han llegado (algunas) a un irreversible y último tramo: "El de la posición justa y apropiada para dar el salto final. Los setenta fueron los años de la incorporación al mercado de trabajo. Y los ochenta, la década de la inversión. A medio y a largo plazo van a provocar una presión muy importante en el mercado de trabajo. Les queda la subida a los puestos estratégicos, los políticos, porque es ahí donde se decide el destino del dinero público. Y les queda también apropiarse por completo de su autonomía personal".

El sociólogo Romero recuerda una encuesta reciente entre directivos. Se les pedía que señalaran, en una escala de uno a diez, el "grado de sacrificio" que les había costado llegar al puesto de responsabilidad que ocupaban. Por sacrificio entendían los encuestadores renuncia. A la vida familiar, al tiempo libre... Entre los hombres, pocos pasaban del dos. Y entre las mujeres, casi ninguna bajaba del cinco.

La presidenta del Banco Mundial de la Mujer (BMM), fundación con sede en Nueva York, presencia en sesenta países y la intención de asesorar gratuitamente a quienes se deciden a crear una empresa, resumió el año pasado: "Las mujeres somos más de la mitad de la población, dos terceras partes de las horas trabajadas corren de nuestra cuenta. A cambio recibimos sólo un diez por ciento de la suma salarial y nos corresponde un uno por ciento de la riqueza mundial".

Visto así, desolador. Con un ejercicio de aproximación, no tanto. Estela Carles, abogada en el BMM en España desde el 88, tranquiliza: "En los últimos doce años se ha duplicado en España el empresariado femenino y ahora es del 16%, unas 70.000 empresarias. No está mal si lo comparamos con el 25% de la Unión Europea. Un tercio de las empresas de nueva creación está dirigida por mujeres. También es cierto que la mayoría de las empresas son muy pequeñas y en algunos casos sin más pretensión que el autoempleo, pero la tendencia es similar en Europa. Aunque el sueldo de las mujeres es un cuarenta por ciento menor que el de los hombres, lo que sí hemos notado en los últimos años es que las que vienen a consultarnos sobre créditos o a aprender gestión empresarial conocen mucho mejor sus necesidades. Y creemos que ese avance es más significativo y esclarecedor que las estadísticas".

El informe Las españolas en el umbral del siglo XXI que preparó el Instituto de la Mujer en el año 95, y a propósito de la Conferencia Mundial de Pekín, sí intenta aclarar con números y recoge, por ejemplo, que mientras en 1980 las mujeres eran el 43% de los licenciados universitarios, diez años después habían alcanzado el 54%. En las carreras relacionadas con la salud se pasó de minoría a mayoría. De un 46% en el 80 a un 56% en el 90. La educación es otro sector con dominio de presencia femenina. Muy importante en la enseñanza primaria y media (las profesoras doblan a los profesores en la educación básica y los igualan en la media) desciende en cambio de forma considerable en las universitarias. Los últimos datos, del 96, señalan que, de los directores de empresas y de la Administración Pública, un 32% son mujeres y más de un 67%, hombres.

Texto adaptado de El Mundo. (La Revista).

1 Según el sociólogo Marcial Romero, a la mujer española le queda como tarea principal:
   a) Aprender a renunciar a la vida familiar.
   b) El acceso a los puestos de trabajo públicos.
   c) La subida a los puestos de decisión y poder.

2 Para el Banco Mundial de la Mujer, el empresariado femenino en España:
a) Ha crecido el triple en los últimos doce años.
b) Posee un sentido exacto de sus necesidades.
c) Pone en marcha empresas medianas.

3 Según datos del Instituto de la Mujer, se pone de manifiesto que:
a) La mujer está aumentando su preparación universitaria.
b) La presencia femenina es mayoritaria en todos los sectores profesionales de la Educación.
c) Se están equiparando las estadísticas en la ocupación de puestos de dirección.

PRUEBA 2: EXPRESIÓN ESCRITA

Véase *Aprieta los codos:* **Redacción (pág. 16)**

PRUEBA 3: COMPRENSIÓN AUDITIVA

A continuación escuchará una entrevista a una prestigiosa doctora, que acaba de publicar una guía sobre, el alzheimer, la anorexia y la bulimia.

PREGUNTAS

1 Según la grabación, los centros de San Diego, Nueva York, Jerusalén son los únicos reputados en la investigación sobre la enfermedad de Alzheimer.
a) Verdadero
b) Falso ✓

2 En la grabación se acusa a la publicidad, los medios de comunicación y las revistas de moda de ser los culpables del problema de la anorexia.
c) Verdadero
d) Falso ✓

3 Según la grabación, los padres parecen andar a la deriva porque desconocen el lenguaje para aproximarse a sus hijos.
e) Verdadero ✓
f) Falso

4 En la grabación se afirma que las personas con anorexia tienen un alto grado de autoestima y amor propio.
g) Verdadero
h) Falso ✓

PRUEBA 4: GRAMÁTICA Y VOCABULARIO

SECCIÓN 1: TEXTO INCOMPLETO

Complete el siguiente texto eligiendo para cada uno de los huecos una de las tres opciones que se le ofrecen.

TEXTO

Clara _____1_____ conocía el significado _____2_____ los sueños. Esta _____3_____ era natural en ella y no _____4_____ los engorrosos estudios cabalísticos que usaba el tío Marcos con más esfuerzo y menos acierto. El primero en darse cuenta de eso fue Honorio, el jardinero de la casa, que _____5_____ un día con culebras que andaban entre sus pies y que, para quitárselas de encima, les _____6_____ hasta que conseguía aplastar a diecinueve. Se lo contó a la niña mientras podaba las rosas _____7_____ para entretenerla, _____8_____ la quería mucho y le daba lástima que _____9_____ muda. Clara _____10_____ la pizarrita del bolsillo de su delantal y escribió la interpretación del sueño de Honorio: tendrás mucho dinero, te durará poco, lo ganarás sin esfuerzo, juega al diecinueve. Honorio no sabía leer, pero Nívea _____11_____ leyó el mensaje entre _____12_____ risas. El jardinero hizo lo que le decían y se ganó ochenta pesos en una _____13_____ clandestina que había detrás de una bodega de carbón. Se los gastó en un traje nuevo, una borrachera memorable con todos sus amigos y una muñeca de _____14_____ para Clara. A partir de entonces, la niña _____15_____ mucho trabajo descifrando sueños _____16_____ de su madre, porque cuando se supo la historia de Honorio iban a preguntarle _____17_____ quiere decir volar sobre una torre con alas de cisne; ir _____18_____ una barca a la deriva y que cante una sirena con voz de viuda; que _____19_____ dos gemelos pegados por la espalda cada uno con una espada en la mano, y Clara anotaba sin vacilar en la pizarrita que la torre es la muerte y el que vuela por encima se salvará de morir en un accidente, el que naufraga y escucha la sirena perderá su trabajo y pasará _____20_____.

Texto de I. Allende. (Adaptado de La casa de los espíritus).

a deil voyant/intuitive b) imaginative

OPCIONES

1
a) Clarividente
b) Imaginativa
c) Soñadora *dreamy*

2
a) Desde
b) de
c) en

3
a) astucia *cleverness*
b) habilidad *skill*
c) preparación

4
a) requería *to need*
b) solicitaba *ask for*
c) imponía *impose*
necesitar i de necessar

5
a) meditó
b) imaginó
c) soñó

6
a) daba con patadas
b) daba de patadas
c) daban patadas

7
a) sólo *only*
b) sola *single*
c) solo

8
a) por qué *why?*
b) porque *because*
c) porqué *for which*

9
a) estuviera
b) fuera
c) quedara

10
a) enseñó
b) quitó *remove*
c) sacó

11
a) le
b) lo
c) la *i give i gave*

12
a) burlas y risas
b) burla y risa
c) burla y risas

13
a) burdel *brothel*
b) garita *box/lodge*
c) timba *gambling den*

14
a) losa *flagstone*
b) loza *crockery*
c) lossa

15
a) tuvo
b) conservó
c) tomó

16
a) a solas *alone*
b) a escondidas
c) a espalda

17
a) qué
b) cuál
c) que

18
a) con
b) por
c) en

19
a) broten *to spring up*
b) surjan *" appear*
c) nazcan

20
a) penurias *poverty*
b) dichas *happiness*
c) aventuras

behind her back

PRUEBA 4: GRAMÁTICA Y VOCABULARIO

SECCIÓN 2: SELECCIÓN MÚLTIPLE

Complete las frases siguientes con el término adecuado de los dos o cuatro que se ofrecen.

1 ___Voy___ tirando como puedo.
a) Iba
b) Voy
c) Había ido
d) Iría

2 ¡___Ojo con___ vista tiene tu amiga!
a) Anda
b) Menuda la
c) Ojo con
d) Vaya

3 ___Sin ser___ por ti nadie tendría la culpa.
a) De ser
b) Al ser
c) Por ser
d) Sin ser

4 Le tengo advertido que no ___estoy___ dispuesto a aceptarlo.
a) estuviera
b) estoy

5 Cuando ___empezaron___ los invitados a bailar, hubo un apagón. *power cut*
a) empezarían
b) empezaron

6 ___Siguiera___ fumando a pesar de los consejos de sus amigos.
a) Sigue
b) Siguiera

7 ¡___Fíjate___ si será listo que nadie ha sospechado de él!
a) Fijarse *to become fixed*
b) Fíjate *just imagine*

fijarse - to pay attention

8 No le ___sorprendieron___ cuando le anunciaron aquella noticia.
a) sorprendieron
b) hubieran sorprendido

9 ¡___Conque___ no ibas a marcharte, eh!
a) Conque *so*
b) Luego

10 ¡___Para___ mujer guapa, la mía!. *for a woman*
a) Por
b) Para

29

SECCIÓN 3: DETECCIÓN DE ERRORES

A continuación le presentamos dos textos. En ellos, debe Vd. detectar un total de cinco errores. Estos errores se han distribuido al azar, de manera que puede haber, por ejemplo, 4 en el primer texto y uno en el segundo; o 2 en el primero y 3 en el segundo.

Una mujer que quería incorporarse al mercado laboral siempre tiene alguna idea. Para empezar a funcionar, la basta con un fax, un teléfono y una agenda.

Una	mujer	que	quería	incorporarse	al	mercado	laboral	siempre	tiene	alguna	idea.
1	2	3	4	5	6	7	8	9	10	11	12

Para	empezar	a	funcionar	la	basta	con	un	fax,	un	teléfono	y	una	agenda.
13	14	15	16	17	18	19	20	21	22	23	24	25	26

Antes protestaba a todo y ahora vivo los problemas a pie de calle. La política es menos fría y asética de la que yo pensaba

Antes	protestaba	a	todo	y	ahora	vivo	los	problemas	a	pie	de	calle.	La
27	28	29	30	31	32	33	34	35	36	37	38	39	40

política	es	menos	fría	y	asética	de	la	que	yo	pensaba.
41	42	43	44	45	46	47	48	49	50	51

Texto de A. Pimente. (Adaptado de *Telva*).

La publicidad

"Busque y compare"

No cambie de canal, deje el mando a distancia quieto por un momento y disfrute del arte de la publicidad. Una disciplina, entre la creación y la industria, que tiene en España ejemplos suficientes como para haberla convertido en una de las potencias mundiales del cine publicitario.

A. Vaquero (director creativo de la agencia AVA) describe su oficio "como una lucha sin cuartel por conseguir dar un determinado mensaje en un tiempo determinado." Nunca hay que olvidar que el objetivo esencial de la publicidad es vender algo; como lo resume Bertolotti: "Te da una línea que vender y la tienes que vestir." No debe, por lo tanto, extrañar a nadie que el lema de A. Vaquero para el momento de crear un nuevo anuncio sea "no pensar jamás que el público es tonto o que entiende pocas cosas." Sobre la relación entre la publicidad y la sociedad cree que "la publicidad recoge los elementos punta (cine, música, diseño, corrientes de opinión...) de la sociedad y luego los populariza".

Los especialistas encuestados se reafirman en que sí existe un estilo español caracterizado por su concisión. Algunos creen que esta característica es consecuencia de que los presupuestos no son tan altos como en los demás países. Sin embargo la concisión en la publicidad siempre es una virtud capaz de resumir los signos de nuestro tiempo.

Sobre el lugar exacto que ocupa España dentro del panorama mundial, los especialistas citados anteriormente, están de acuerdo: España ocupa el tercer o cuarto lugar, por delante se encuentra el inaccesible mercado anglosajón (EE.UU., Gran Bretaña) al lado Francia, y los más lejanos Brasil, Japón....

Por último el estilo español parece distinguirse por su sencillez y su predominio de la idea frente al sentido del humor propio de la publicidad inglesa y de la destacada realización de los norteamericanos, bagaje heredado de su industria cinematográfica.

■

Texto de J. Olivares
(Adaptado de *La Esfera*)

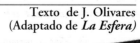

¿Lo has entendido?

1

Lee y resume en una frase cada uno de los párrafos.

2

Di si los siguientes puntos de vista pertenecen al autor.

SÍ NO
- ☐ ☑ • No pensar jamás que el público es tonto.
- ☐ ☑ • Francia ocupa uno de los últimos lugares en el panorama mundial.
- ☑ ☐ • Hay que disfrutar del arte de la publicidad.
- ☐ ☑ • El cine publicitario gana cada vez más adeptos.
- ☐ ☑ • Uno de los motivos de concisión en la publicidad es la escasez de los presupuestos. *budgets*
- ☐ ☑ • El estilo norteamericano se caracteriza por el predominio de la idea.

3

¿En qué "argumentos de autoridad" se apoya el autor para hacer las siguientes afirmaciones?:

A.- España es una potencia mundial en el terreno publicitario. 2
B.- Existe un estilo español de hacer publicidad. 3
C.- La publicidad es vender. 4
D.- España ocupa el tercer o cuarto lugar en el panorama publicitario mundial. 1

1.- Los especialistas citados anteriormente.
2.- Ejemplos suficientes.
3.- Los especialistas encuestados.
4.- Opinión de Bertolotti.

4

Completa los siguientes estilos publicitarios partiendo del texto:

- • Estilo español : CONCISO, SENCILLO, PREDOMINIO DE LA IDEA.
- • Estilo inglés : *sentido del humor*
- • Estilo norteamericano : *destacado / cinematográfica*
- • Estilo de tu país :

el objetivo de la p dar u mensaje con concisión

5

Da una definición de la publicidad utilizando, al menos, tres de los siguientes términos vistos en el texto:

Arte, mensaje, objetivo, lema, popularizar, concisión, signos de nuestro tiempo, mercado y bagaje.

6

Profundiza

mandar - to tell / send
el mandato -
el mando - command
La canaleta, en el tejado   *two*
canalizo - donde los barcos pueden pasar
el candelete - para dirigir un obre

 ¿Qué relación tienen dentro del medio televisivo *mando* y *canal*? Busca 3 derivados de cada uno de ellos. *Los mandos - oficiales el ejército*

        Ej: *mando – mandado*   Ej: *canal – canalización*

 ¿Qué cosas se pueden *erigir* (construir, elevar, constituir)?
¿En qué puede *erigirse* algo o alguien (llegar a ser, convertirse)?
Haz tres ejemplos con *erigir* y *erigirse*.

        Ej: *Erigir un monumento.* — *Erigirse en una potencia mundial.*

 Si *concisión* es igual a *brevedad* y *precisión*, ¿cuáles serían sus antónimos?

erigir un edificio   *erigirse una autoridad sobre algo*
                      en el jefe del equipo

¿Lo has entendido?

 ¿Bagaje tiene relación con equipaje? Di en qué ámbitos se utilizan ambos.

 En la frase "el estilo español parece distinguirse", se abre una duda sobre la afirmación posterior. Clasifica las expresiones siguientes según indiquen:

Certeza absoluta	Probabilidad alta	Probabilidad baja

a Es posible que se distinga.. *P B*

b Se diría que se distingue... *P a*

c Es cierto que se distingue... *<a*

d Puede que se distinga... *p b*

e Sin duda se distingue... *<a*

f Es evidente que se distingue... *<a*

g Quizás se distinga... *p b*

h Da la impresión de que se distingue... *P a*

i No se puede negar que se distingue... *<a*

j Aparentemente se distingue *p a*

 Subraya el sinónimo semánticamente más cercano a cada palabra según el texto.

Ej.: *Disciplina*: Ciencia / Austeridad / Rigor.

- Estilo: Género / Arte / Forma
- Lema: Contraseña / Emblema / Divisa *badge*
- Mensaje: Anuncio / Recado / Comunicación
- Objetivo: Empeño / Fin / Ambición
- Presupuesto: Importe / Gasto / Conjetura

 "Dar un determinado mensaje en un tiempo determinado."

Lee los verbos indicados a continuación (sinónimos de *determinar*) :

Concretar, precisar, fijar, señalar, establecer, designar, estipular, definir, especificar, delimitar, ceñir, reducir, obligar, limitar.

A.- Adjetívalos:
    Ej.: *Fijar: Fijado.*

B.- Indica cuáles son más apropiados para adjetivar *mensaje, tiempo* o los dos.
    Ej.: *Fijar. Tiempo* (Fijar un plazo, una cita).

 Partiendo de los verbos: *mediatizar, estimular, convencer, consumir*, di cómo afectaría la publicidad de nuestra sociedad a :

Ej: Un escritor.- *Le estimula en su creatividad.*

- Un comprador compulsivo.   • Un escéptico.   • Un tacaño.   • Un niño de cinco años.

---

7 — Ecos hispanos: Comprar en Argentina

Buenos Aires. La capital argentina a la que siempre se añora y se quiere volver. Ciertamente ha cambiado la ciudad, aunque sigue deslumbrando al visitante por su inestimable belleza, y su cosmopolitismo irreductible y su fascinante vivacidad.

Fruto de esa energía son los comercios que se vanaglorian de tenerlo "todo importado". Es verdad que los argentinos siempre sufrieron debilidad por los artículos de fuera. La afición por comprar es devoradora.

Es toda una experiencia subirse al tren de la Costa cuya meta es el delta del Tigre, pero que en realidad sirve para que los compradores vocacionales hagan escala en todas sus estaciones.

La apertura de mercados fomentó la importación a través de licencias especiales que hacen que los productos sean relativamente accesibles; camisetas de Hong Kong, pantalones de Corea, frutas griegas y una avalancha de artículos electrónicos de Estados Unidos comenzaron a ser más baratos que sus equivalentes argentinos. La industria de sustitución terminaba así en el país austral.

Pero todo esto son observaciones puntuales de un momento concreto. El enamorado de Buenos Aires siempre regresa, la enorme metrópoli siempre ofrece una pasión profunda.

Texto de Maruja Torres (Adaptado de *El País*).

¿Qué relación crees que hay entre la publicidad y el contenido de este fragmento?

EL CAFETÍN

TEMA: ¿CÓMO CREAR UN ANUNCIO?   60 MINUTOS

Unos clientes desean lanzar al mercado nuevos productos. Para ello acuden a una agencia de publicidad. Los productos son entre otros:

- Cigarro con sabor a coñac
- Silla irrompible
- Bolso alarma

◆ La clase se divide en grupos de tres o cuatro personas que actuarán como agencia de publicidad.

◆ Cada grupo deberá buscar previamente material de apoyo para la actividad:
   - Cartulina: soporte del mensaje publicitario.
   - Revistas y fotos: material gráfico, anuncios de la competencia, etc.

ESTRATEGIA CREATIVA: 30 MINUTOS

◆ Establecer por escrito las características positivas del producto y sus diferencias con la competencia.

◆ Definir los rasgos del posible comprador tipo del producto. (Grupo social, edad, sexo, intereses y ...) y los elementos que se van a utilizar para persuadir y conducir a la acción de compra.

◆ Buscar un lema para el producto. Elaborar un texto de apoyo.

REALIZACIÓN: 30 MINUTOS

◆ Realizar un collage con los elementos gráficos y del texto.

◆ Exponer cada grupo su publicidad, explicando los procesos de creación y elaboración.

¡Para no pegar ojo!

¿Te condiciona la publicidad a la hora de consumir? En caso afirmativo enumera en qué productos.

Para llevar a cabo este ejercicio sigue estas recomendaciones:

● Presentar el tema con una introducción clara, concisa y lo más objetiva posible. Seguir un plan rigurosamente organizado. Aportar razones para sustentar una opinión.

● Estudiar los pros y los contras a partir de expresiones de posibilidad, convicción, juicio... El escrito debe constar al menos de tres ideas principales.

● Incluir "argumentos de autoridad": Referencias, citas, opiniones autorizadas, para aportar variedad en los puntos de vista.

● Concluir resumiendo la opinión sobre el tema.

Aprieta los codos

Valores del Presente de Indicativo.

Definición

Acción inacabada que no expresa pasado ni futuro.
*En estos momentos, **atiende** a un cliente.*

Usos

◆ **Presente permanente - Acción con valor general.**
*Cuanto más pequeña **es** la burbuja, más grande **es** el cava.*
◆ **Presente con valor potencial - Matiza una petición o deseo.**
*¿**Puedo** hablar con Vd. un minuto?*
◆ **Presente con valor modal de mandato.**
*¡Tú lo **haces** porque lo digo yo!*
◆ **Presente histórico - Con valor pretérito.**
***Nace** en España el primer anuncio en 1924.*
◆ **Presente con referencia a acción pasada.**
*¿A quién **se le ocurre** ponerse esos pantalones para esa ocasión?*
◆ **Presente con referencia a acción futura.**
*Seguro que **viene** y nos **cuenta** su fin de semana.*

Valores del Futuro de Indicativo.

Definición del Futuro Simple

Acción que se ha de realizar en un tiempo venidero.
*Protege tu madera, **protegerás** el bosque.*

Usos

◆ **Futuro con valor de prohibición.**
*No **hablarás** más.*
◆ **Futuro con valor de sorpresa - Tiempo atemporal, se utiliza en las interrogativas y admirativas.**
*¡**No me lo dirás** a mí!*
◆ **Futuro de incertidumbre.**
*¿**Llegaremos** a la hora?*

Definición del Futuro Perfecto

Tiempo compuesto, cuya acción es acabada en el futuro y anterior a otra.
***Habrá estado** en la conferencia esta mañana.*

Usos

◆ **Futuro con valor concesivo.**
*Lo **habrá enviado**, pero yo no lo he recibido.*
◆ **Futuro con valor de conjetura.**
*Lo **habrán comprado** a plazos.*

Aprieta los codos

1 Lee atentamente.

Preámbulo a las Instrucciones para dar cuerda al reloj.

Piensa en esto: cuando te regalan un reloj te regalan un pequeño infierno florido, una cadena de rosas, un calabozo de aire. No te dan solamente el reloj, que los cumplas muy felices y esperamos que te dure porque es de buena marca, suizo con áncora de rubíes; no te regalan solamente ese menudo picapedrero que te atarás a la muñeca y pasearás contigo. Te regalan -no lo saben, lo terrible es que no lo saben-, te regalan un nuevo pedazo frágil y precario de ti mismo, algo que es tuyo pero no es de tu cuerpo, que hay que atar a tu cuerpo con su correa como un bracito desesperado colgándose de tu muñeca. Te regalan la necesidad de darle cuerda todos los días, la obligación de darle cuerda para que siga siendo un reloj; te regalan la obsesión de atender a la hora exacta en las vitrinas de las joyerías, en el anuncio por la radio, en el servicio telefónico. Te regalan el miedo de perderlo, de que te lo roben, de que se te caiga al suelo y se rompa. Te regalan su marca, y la seguridad de que es una marca mejor que las otras, te regalan la tendencia a comparar tu reloj con los demás relojes. No te regalan un reloj, tú eres el regalado, a ti te ofrecen para el cumpleaños del reloj.

Texto de J. CORTÁZAR *(Historias de Cronopios y de Famas).*

a. Pasa los verbos en Presente a uno de los Futuros cuando sea posible.

b. REGALAR es: obsequiar, entregar, donar, ofrendar, sobornar, no reparar en gastos, dar, etc. Construye una frase en Presente con cada uno de estos verbos.

c. Siguiendo el modelo de J. Cortázar, háblanos de un objeto imprescindible en tu vida.

2 A imitación del siguiente fragmento define con verbos en Presente: un anuncio, un mensaje, un slogan o una imagen.

MARCA de fábrica o industrial: Distintivo, signo o señal que el fabricante añade a sus productos para identificarlos. Con la marca de fábrica, el producto toma ya los rasgos externos de las mercancías e indica, a la vez, su calidad, autenticidad de origen y las características de su fabricación.

Diccionario Enciclopédico Salvat.

3 Completa estas frases con una forma de Futuro y define el matiz de cada una.

- Esta semana no (*tener, yo*) _____ tiempo de leer tu última novela.
- (*Acostarse, él*) _____ en cuanto llegue de su viaje de negocios.
- No le (*comentar, tú*) _____ lo que has presenciado.
- Lo (*sospechar, ella*) _____ pero no se le notó.
- ¿(*Ayudar, tú*) _____ al que te lo pida?
- ¡Cuándo (*ocurrírsele*) _____ cruzar por el paso de cebra!
- Ya está todo cerrado, no sé dónde (*ir, ella*) _____ a estas horas.

4 Corrige los posibles errores de las formas verbales en Futuro.

- Haré lo que podré.
- ¿Será verdad lo que dice?
- Lo buscará siempre que tendrá tiempo.
- Cuando vendrá, ya nos enteraremos.
- ¿Cuándo se lo comentarás?

5 Reemplaza el verbo entre paréntesis por una forma verbal de futuro o condicional.

- Juan (*llegar*) _____ de Dinamarca pero aún no lo he visto.
- Yo creo que el presidente ya (*cumplir*) _____ los 40 años.
- ¿Por qué (*hacer*) _____ aquello Marta?
- (*Tú, tener*) _____ unos diez años cuando trasladaron a su padre.
- (*Ser*) _____ una buena persona, pero todavía no lo ha demostrado.
- Él, en su lugar, tal vez (*actuar*) _____ peor.
- ¿(*Ser*)_____ posible que ya te hayas comido todo?

1

¿Qué productos están vendiendo estos eslóganes de campañas publicitarias? Razona y argumenta tu elección.

El gordo está cerca de Ud.

- ◆ Un gel adelgazante
- ◇ Lotería Nacional
- ◆ Una caja de bombones

Compre sin dinero y viaje gratis.

- ◆ Un coche
- ◇ Tarjeta de crédito
- ◆ Un abono transportes

¿En qué lugar del mundo puedes desayunar con un orangután?

- ◆ Un viaje a Thailandia
- ◇ Una visita al Zoo de Madrid
- ◆ Una terraza al aire libre en París

Gente sin complejos.

- ◆ Un abrigo de piel
- ◇ Un yoghurt
- ◆ Whisky

Ya se siente Abril.

- ◆ Un perfume
- ◇ Un tinte
- ◆ Ropa interior

Si el placer es pecado, bienvenido al infierno. El placer original.

- ◆ Un Jacuzzi
- ◇ Una joya
- ◆ Una revista

Búsquese una casa más lejos del trabajo.

- ◆ Unos zapatos
- ◇ Tabaco
- ◆ Un coche

2

Estudia atentamente estas imágenes.

A ¿Qué sensaciones te producen y por qué?

Frescura, tradición, originalidad, exquisitez, armonía, personalidad, convencionalismo, autenticidad...

1 _____

_____

_____

2 _____

_____

_____

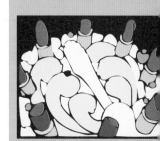

3 _____

_____

_____

B ¿Qué producto crees que anuncian?

C ¿Qué eslogan piensas que han utilizado?

El ayer de...

ESQUEMA HISTÓRICO

La publicidad

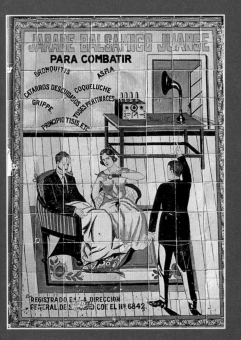

Principales acontecimientos en el desarrollo publicitario.

► **1.611**

Se crea una oficina de información comercial en Inglaterra, en la que aparecen avisos sobre compras, ventas y préstamos.

► **1.621**

Se empiezan a editar en España las *Cartas de novedades políticas de la Corte y avisos recibidos de otras partes*, que son las primeras gacetas conocidas.

► **1.630**

Al mismo tiempo, en Inglaterra, un grupo de comerciantes funda un periódico, el *Daily Advertiser,* dedicado exclusivamente a publicar anuncios.

► **1.716**

Se funda en Francia el semanario *Les affiches de Paris, des Provinces et des Pays étrangers,* que recoge sólo carteles publicitarios.

► **1.831**

El *Journal des Connaissances Utiles* establece, por primera vez, la relación entre tirada del periódico y tarifas de publicidad.

► **1.836**

La *Presse* destina, de manera fija, tres cuartas partes de su espacio a publicidad.

► **1.845**

Nace la primera institución dedicada a servir de intermediario entre anunciantes y periódicos: *La Société Générale des Annonces.* Se considera la primera agencia de publicidad.

► **1.920**

Walt Disney realiza las primeras películas publicitarias para proyectar en un cine. Se trata de dibujos animados, sin sonido y de un minuto de duración.

► **1.924**

Radio Barcelona transmite su primer anuncio. El producto anunciado, un aceite para automóviles, con el lema: "Yacco, siempre Yacco".

► **1.941**

En la emisora WNBT de Nueva York se difunde el primer anuncio televisado de la historia. El anunciante: relojes Bulova.

► **1.946**

Se transmite el primer anuncio televisado en cadena durante un combate de boxeo. La marca Gillette fue entonces el anunciante.

► **...** ¿qué decir de la publicidad en la segunda mitad del siglo XX?

La Historia de un Aroma

Uno que lo usa...

Uno que no lo usa.

Texto leído con acento catalán.

Una **modesta** instalación en el número 2 de la madrileña calle Arenal **acogía** en el año 1898 la producción del producto capilar Petróleo Gal, que revolucionó el mercado por sus **asombrosos** resultados.

Era el primer cosmético de una empresa que tomó su nombre del apellido de uno de sus **fundadores**, Salvador Echeandía Gal, quien junto a Lemes Sainz de Vicuña creó la que es actualmente Perfumerías Gal S.A. .

Un jabón muy famoso. Desde entonces han pasado 98 años en los que esta firma **netamente** española **ha cosechado** muchos éxitos comerciales gracias a la excelente calidad de sus productos y a la forma exquisita y bella de presentarlos.

Muchas son las **causas** por las que un producto de belleza pasa a convertirse en un objeto de culto. Calidad, diseño industrial, publicidad, promoción, etc. Todo ello **contribuye** a la transcendencia de algo que nace con la vocación de atender una necesidad o de satisfacer un **capricho**, y que el paso del tiempo puede llegar a convertir en obligada referencia.

En el Museo Perfumería Gal de Alcalá de Henares, se puede apreciar todo el desarrollo de una **gama** emblemática de la casa, Heno de Pravia, con enorme **prestigio** e imagen internacional. El primer diseño se refiere únicamente al jabón que recrea la pequeña **leyenda** de su origen, pues recoge el aroma que desprende el heno recién cortado en los verdes montes del pueblo asturiano de Pravia. El color verde de la pastilla lo toma del heno cuando crece, y el amarillo del **envoltorio** expresa el color que adquiere la planta al cortarla de la tierra.

TRÉBOL

EXTRACTO CONCENTRADO

GAL MADRID

El arte en el dibujo. Cuando Federico Ribas gana, junto con Rafael de Penagos y Salvador de Bartolozzi, el concurso de **carteles** publicitarios para el jabón Heno de Pravia, **celebrado** en Barcelona en 1916, la publicidad de este producto adquiere una nueva dimensión artística. El éxito del jabón de tocador **animó** a desarrollar otros productos de la marca como gel de baño y desodorante. En 1972 el Festival Internacional de Cine Publicitario de Venecia y Cannes concede el León de Oro al anuncio publicitario "El aroma de mi hogar".

Prestigiosos dibujantes de **comienzos** de siglo, con los ya citados, e incluso el popular pintor Julio Romero de Torres, realizaron trabajos para Perfumería Gal anunciando los entonces **modernos** polvos de arroz, **frascos** de cristal que encerraban perfumes, etc.

Texto de A. Parrilla (Adaptado de *Metrópoli*)

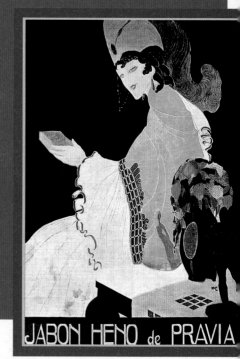

JABON HENO de PRAVIA

¿Lo has entendido?

1 Clasifica, por su orden de aparición en el texto, las siguientes frases.

- ☐ • Desde hace ya 98 años, esta firma sigue cosechando éxitos.
- ☐ • El primer diseño se refiere únicamente al jabón.
- ☐ • Uno de los fundadores dio su nombre al primer cosmético.
- ☐ • El gel de baño y el desodorante aparecieron después del jabón.
- ☐ • A partir de 1916, la publicidad del jabón *Heno de Pravia* toma una nueva dimensión artística.

2 Elige una de las soluciones propuestas, apoyándote en el texto.

A.- Los productos cosméticos son con el paso del tiempo:
- ☐ Una necesidad.
- ☐ Un capricho.
- ☐ Una obligada referencia.

B.- El primer diseño se refiere:
- ☐ Al jabón.
- ☐ A su aroma.
- ☐ A su larga duración.

C.- El pintor Julio Romero de Torres realizó trabajos para el anuncio de:
- ☐ Gel de baño y desodorante.
- ☐ Los entonces modernos polvos de arroz.
- ☐ El envoltorio del jabón.

D.- El producto para el cabello *Petróleo Gal* revolucionó el mercado por:

- ☐ Sus asombrosos resultados.
- ☐ El alboroto que produjo en el mercado.
- ☐ El apellido de uno de sus fundadores.

3 Sustituye las palabras en negrita del texto por otras del mismo significado.

4 Completa estas frases con los sustantivos adecuados.

Aroma, fragancia, olor, hedor, pestilencia.

- • La tierra mojada y la hierba recién cortada desprenden _____ inolvidables.
- • La lavanda posee una _____ que envuelve toda la casa.
- • El _____ de ciertos perfumes me empalaga.
- • Cuando las flores se quedan sin agua en el jarrón, producen un _____ característico.
- • Las cuadras desprenden una _____ que se queda impregnada en el ambiente.

5 Sustituye el verbo *crear* por otro sinónimo: realizar, fundar, desprender, elaborar.

- • S. Echeandía Gal, junto a L. Sainz de Vicuña *creó /* _____ lo que es actualmente Perfumería Gal.
- • El primer diseño *fue creado/* _____ únicamente para el jabón.
- • La leyenda de su origen recoge el aroma que *crea/* _____ el heno recién cortado.
- • Prestigiosos dibujantes de la época *crearon /* _____ carteles originales de admirable belleza.

6 Características del jabón Heno de Pravia.

- • Su aroma: el heno de los montes del pueblo asturiano de Pravia.
- • Su color verde: el del heno crecido.
- • Su color amarillo: el del heno cortado.

Inspírate en esta descripción para escribir la leyenda del origen de uno de los siguientes productos :
El vino de Jerez / El jamón de Jabugo.

AROMA

Aprieta los codos

Las Preposiciones (I).

Preposiciones

◆ **A, ante, bajo, cabe** (en desuso: equivalente a *junto a*), **con, contra, de, desde, en, entre, hacia, hasta, para, por, según, sin, so** (en desuso: equivalente a *sobre*), **sobre, tras.**

◆ **Locuciones prepositivas** o **giros preposicionales**, que son combinaciones de adverbios o frases adverbiales (sustantivos precedidos de preposición) seguidos de una de ellas: **dentro de, antes de, delante de, después de, cerca de**, etc.

Preposiciones que expresan lugar

a / ante / bajo / de... a... / en / desde... hasta... / entre / hacia / para / por / sobre / tras

Preposiciones que expresan tiempo

en / por / de... a... / desde... hasta... / de... en... / a / sobre / de / hacia / para

Preposiciones que expresan modo

a / en / de / con

Usos especiales de las preposiciones:

PREPOSICIÓN A

◆ Expresa la forma de realizar algo:

> *A punto de cruz, a máquina, a mano.*

◆ Expresa la distribución de algo:

> *Tocamos a 200 ptas. por persona.*

◆ Construye frases y locuciones adverbiales:

> *A duras penas, a tontas y a locas, a carcajada limpia, a oscuras, a lo loco.*

PREPOSICIÓN DE

◆ Expresa el material de que está hecho algo:

> *De plástico, de hierro, de plata.*

◆ Expresa el tiempo en que transcurre una acción:

> *De madrugada, de día.*

◆ Va con adjetivaciones que expresan características físicas y personales:

> *Moreno de piel, de estatura mediana, brusco de carácter, agradable de tratar/ trato, de armas tomar.*

Aprieta los codos

PREPOSICIÓN EN

◆ Se une a verbos que indican participación: *colaborar, participar, integrarse*.

  *Ha participado **en grupos** ecologistas.*

◆ Acompaña al infinitivo:

  ***En hacerlo** empleé todo el día, **en preparárselo** él sólo tardará unos minutos.*

◆ Con algunos adjetivos, forma locuciones adverbiales:

  En firme, en absoluto.

PREPOSICIÓN POR

◆ Precede al sujeto agente cuando éste pasa a la construcción pasiva:

  *Es querido **por todos***.

◆ Indica idea de lugar y extensión:

  *Paseaba **por las calles***.

◆ Indica duración de tiempo imprecisa:

  *El plazo de entrega finaliza **por junio o julio***.

◆ Indica modo o medio de realizar una acción:

  *Lo hizo **por voluntad propia***.

◆ Indica sustitución:

  *Vende su alma al diablo **por un trozo de pan***.

◆ Equivale a e*n favor de*:

  *Dejó su trabajo **por su familia***.

◆ Indica lo inacabado:

  *El balance está **por hacer** todavía*.

◆ Indica valor causal:

  ***Por hacerte caso** se le vino el negocio abajo*.

◆ Indica valor concesivo:

  ***Por fuertes que sean** no consiguieron levantarlo*.

PREPOSICIÓN PARA

◆ Marca el Complemento Objeto Indirecto y completa la significación de verbos transitivos, intransitivos y la de adjetivos:

  *Trabaja **para comprarse** una moto*.

◆ Indica movimiento, casi ha sustituido a **A** cuando se excluye la idea de viaje directo:

  *Se marchó **para / a Londres***.

Aprieta los codos

- ◆ Indica un punto indeterminado en el tiempo:

    *Te lo enviaré **para abril**.*

- ◆ Indica destinatario:

    *Mandó las flores **para los recién casados**.*

- ◆ Indica proximidad (acompañado del verbo *estar*):

    ***Está para** dar a luz.*

- ◆ Indica relación de unas cosas con otras:

    ***Para lo que** echan, mejor no ir al cine.*

1 Completa los espacios utilizando estas preposiciones: de, en, por, a, con y desde.

Estaba ya cogida .... la miel fermentada, que consumía .... sus amigas de escuela antes .... casarse y siguió consumiéndola no sólo .... la boca sino .... los cinco sentidos. Con Judas aprendió .... masticar hojas de coca. Probó .... las tabernas el canabis de la India, la trementina .... Chipre, y .... lo menos una vez el opio .... la Nao .... China. Sin embargo, no fue sorda .... la proclama .... Judas .... favor .... el cacao. .... regreso .... todo lo demás, reconoció sus virtudes y lo prefirió .... todo. Judas se volvió ladrón, proxeneta, sodomita ocasional, y todo .... vicio pues nada le faltaba. Una mala noche, delante .... Bernarda, se enfrentó .... manos limpias .... tres galeotes .... la flota .... un pleito .... barajas, y lo mataron .... silletazos. Bernarda se refugió .... el trapiche. La casa quedó .... garete, y si no naufragó .... entonces fue .... la mano maestra .... Dominga .... Adviento, que terminó .... formar .... Sierva María como quisieron sus dioses.

Texto de G. GARCÍA MÁRQUEZ (Adaptado de *Del amor y otros demonios*).

2 La persona que ha escrito estas líneas sobre las excelencias del cava, ha confundido todas las preposiciones. Ayúdale.

Su gran armonía para sabores, fruto con la combinación desde las uvas xarel-lo y parellada según un toque entre distinción, hace que sea especialmente indicado con ocasiones excepcionales. Elaborado tras el siglo pasado, se presenta hasta tres variedades: brut, seco y semi-seco. Es bajo antonomasia, el gran clásico contra todos los bruts.

Texto adaptado de *Publicidad Codorniu*

3 Elige en estas frases qué preposición es la correcta en cada par.

- ◆ Sentarse *para / por* la comida.
- ◆ Va *para / por* 2 años que nos casamos.
- ◆ Recita *para / por* ti, no puedo escuchar la radio.
- ◆ Estos papeles son *para / por* tirarlos a la papelera.
- ◆ Con mucho cariño *para / por* todas vosotras.
- ◆ *Para / por* él todo es muy fácil.
- ◆ Si puedes firmar *para / por* mí, te haré una nota.
- ◆ Levanto mi copa *para / por* los recién casados.
- ◆ Me faltan 2 años *para / por* poder votar.
- ◆ Es muy estudioso *para / por* la edad que tiene.

Recursos retóricos.

◆ **Eufemismos**: sustitución de palabras malsonantes o de apreciación social poco favorable.

> *Ser <u>mayor</u> tiene sus ventajas. (Viejo.)*

◆ **Interrogación Retórica**: preguntas cuya respuesta es conocida.

> *¿Quién dijo que los jóvenes no consultaban con la almohada?*

◆ **Juegos de palabras**: modificaciones a nivel fónico, morfológico y sintáctico y uso de la polisemia para lograr efectos expresivos.

> *Todos necesitamos un móvil en la vida.*

◆ **Metáfora**: denominaciones más poéticas o sugestivas en vez de las reales, identificando elementos diferentes como iguales.

> *Armas de gourmet. (Un cubierto.)*

◆ **Paralelismo fonético**: uso de palabras con sonidos similares.

> *El color sin calor.*

◆ **Hipérbole**: exageración desmedida para realzar el mensaje.

> *De cero a cien en un segundo.*

◆ **Características de construcción:**

- Supresión de las preposiciones.
- Predominio de las oraciones yuxtapuestas y coordinadas.
- Desaparición del verbo SER.
- Formas verbales más utilizadas. Imperativo, presente, pasado, futuro.

1 Une cada *slogan* con el recurso retórico apropiado.

◆ El único refresco que se mastica.	◆ Paralelismo.
◆ El nuevo Fiesta es un caramelo.	◆ Hipérbole.
◆ Cuando el rostro pierde su firmeza.	◆ Frase hecha.
◆ Pielpalpié.	◆ Metáfora.
◆ ¿Tiene Vd. ojo crítico?	◆ Eufemismo.
◆ Para gustar mucho. Para gastar poco.	◆ Juego de palabras.
◆ ¿Quién lleva ahora los pantalones?	◆ Interrogación retórica.

2 Siguiendo el modelo improvisa un texto para uno de los eslóganes del ejercicio anterior.

¿Siempre tienes que dar la nota?

Cuando todos van de Folk, tú de New Age. Cuando se lleva la salsa, tú bakalao. Si todos hablan de ligues... tú de la Liga. Cuando está de moda el Tecno Pop, tú Flamenco.
¿Es que siempre tienes que dar la nota? Escucha la nueva Onda 10. Escucharás lo que tú quieras escuchar.

> *(Onda 10. Mucho más que música.)*

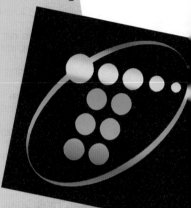

¿Lo has entendido?

 1 Visionado sin sonido (2 veces).

 a ¿Qué puede anunciar este *spot,* basándote en las imágenes?

 b ¿A qué segmento de población crees que está dirigido?

- Descripción física de los personajes.
- Sus posibles profesiones.
- Ambientes que aparecen y qué evocan: bienestar, seguridad, etc.

2 Visionado con sonido (2 veces).

 a Toma nota durante la narración de:

- Los verbos utilizados.
- Los sustantivos.

 b Completa los huecos de las siguientes frases.

- ...alguien _____ en Infovía.
- ...un gran futuro de _____ y rentabilidad.
- ...puedes comprar _____ de Telefónica.
- ..., o sociedad de _____.
- ... la primera _____ española.

 3 Analiza la lograda relación narración-imágenes.

Narración	Imágenes
Mira a tu alrededor	
Disfruta de los multimedia	
Para compartir con todos	
Un 4% de descuento	
Acude ya a tu banco	
Invierte en Telefónica	
La 1ª multinacional española	

 4 ¿Qué sentido darías a los dos tipos de música que aparecen en el anuncio?

- *Mira a ....* hasta *...o disfruta de los multimedia.*
- *Por eso ...* hasta el final.

 5 ¿Qué elementos de la narración están reforzados con elementos escritos? ¿Qué le aportan?

¿Lo has entendido?

6 ¿Qué información aparece únicamente como elemento escrito? ¿Qué función crees que tiene?

7 ¿Qué valores tienen los imperativos?

8 ¿Qué se pretende al utilizar el tratamiento de tú?

¡Para no pegar ojo!

Sin salir de casa, cualquier usuario puede acceder a las autopistas de la información para comunicarse con cualquier punto del planeta. Crea los mensajes indicados a continuación, teniendo en cuenta que los lanzarás al ciberespacio sin conocer a los posibles lectores.

Rellena el siguiente modelo para cada caso.

- Montar una empresa de abanicos y sistemas de refrigeración en el Caribe.
- Intercambiar sellos de lepidópteros del año 1970 emitidos en Uruguay.
- Patentar un nuevo modelo de cierre (Chapa-cremallera) para botellas de tequila.

N | Netscape - (news.answers)

De:

Enviar a:

Asunto:

Aprieta los codos

GRAMÁTICA

Correspondencia comercial.

Carta de reclamación: Tiene como fin expresar una queja por un incumplimiento o poner de manifiesto la causa por la que no se ha llevado a cabo un compromiso: tardanza en la fecha de entrega, error en el colorido, mal estado del producto, etc. Generalmente pide explicaciones o/y reparación de los daños.

Pautas
- Informar del hecho.
- Exponer la queja.
- Pedir respuesta y compensación al daño.

Características
- Brevedad, concisión y cortesía.
- Tono enérgico sin ser agresivo.
- Expresiones de descontento:

  Es una estafa / falta de seriedad ...
  Con sorpresa y disgusto he comprobado que ...
  Le reclamo los daños y perjuicios ocasionados ...
  Le ruego que me haga saber las razones ...

Dolores Díaz Rodríguez
C/ Leganitos, 22 - 5ºC - Tl.- 797 95 88
28026 Madrid

LABORATORIOS FOTOGRÁFICOS "LUZ COLOR"
C/ Depósito Vacío, 19 - Sótano A - Tl.- 415 20 82
28019- Madrid

Muy Sr. mío: 24/1/97

Por la presente me dirijo a Ud. para poner en su conocimiento mi pesar por el extravío de 4 carretes fotográficos de mi luna de miel, depositados en su laboratorio a comienzos de enero del corriente año. Hasta la fecha presente el laboratorio, caracterizado por su falta de seriedad, no se ha dignado darme ninguna explicación coherente sobre dicha pérdida.
Por tanto le hago saber que mi próximo paso, de no recibir una solución favorable a mi problema y dado que el contenido de dichos carretes me priva del recuerdo de un hecho irrepetible, será poner este asunto en manos de un organismo pertinente, reclamándoles asimismo daños y perjuicios por el hecho y el trato recibidos.
Sin otro particular, y en espera de su pronta respuesta le saluda atentamente.

DOLORES DÍAZ RODRÍGUEZ

P.D. Adjunto envío fotocopia resguardo entrega carretes a laboratorio en la fecha mencionada.

DELE superior

PRUEBA DE PREPARACIÓN AL DELE. EXPRESIÓN ESCRITA.

◆ Escribe una carta de 150 - 200 palabras (15 - 20 líneas)

Usted ha tenido problemas a la hora de buscar un piso. Se puso en contacto con una agencia de alquileres de pisos que ofrecía seriedad y eficiencia. Le cobraron 10.000 pesetas a cambio de comprometerse a presentarle al menos dos ofertas cada semana. Han pasado dos meses y no le han presentado ninguna. Resultó ser un engaño. Decidió entonces ponerse en contacto con su organización de consumidores para contar lo ocurrido y pedir consejo. En esta carta deberá hacer referencia a :

◆ Las razones que le llevan a escribir.
◆ Por qué acudió a esta agencia.
◆ Qué compromiso adquirió la agencia con Vd.
◆ En qué se siente engañado.
◆ Qué solicita de la organización y de la agencia.

Las Preposiciones (II).

Hay muchos verbos que rigen preposiciones fijas y éstas frecuentemente tienen complementos también fijos. Por eso podemos decir que las llamadas **CONSTRUCCIONES PREPOSICIONALES** son en realidad **frases hechas**.

Abandonarse a la suerte.
Aburrirse por todo.

Beber a la salud.

Caber de pie.
Chocar contra un árbol.

Dejar en manos de ...
Dejar con la boca abierta.

Faltar a la palabra.

Ganar con el tiempo.

Hablar entre dientes.
Hablar por otro.

Infiel a sus amigos.

Llamar por señas.
Llenar de alegría.

Montar en cólera.

Nacer con fortuna.

Pasar por alto.

Salirse con la suya.
Señalar con el dedo.

Trabajar a destajo.

Vagar por el mundo.
Volar por las nubes.

---

1 Completa con preposiciones las siguientes expresiones:

◆ Sabor .... naranja.
◆ Soñar .... los angelitos.
◆ Arrimarse .... el sol que más calienta.
◆ Beber .... tu salud.
◆ Darse .... la bebida.

◆ Hacerlo .... poderío.
◆ Fardar .... coche.
◆ Valer .... dos.
◆ .... no perder el hilo.
◆ Hacerlo .... ton ni son.

Palabras escritas por...

Publicidad y literatura:
Rosa Montero y Javier Marías,
dos escritores famosos.

Hoy día un escritor que quiera interesar a compradores potenciales para su nueva novela, debe remitirse a la pequeña pantalla. Una de dos, o inmediatamente después del noticiario o a horas avanzadas de la noche, cuando no perturbe la publicidad ni pueda aburrir a la gente con balbuceos. Si es que algunos televidentes dejan encendido el aparato a pesar de todo.

Esther Vilar. El encanto de la estupidez.

1. Rosa Montero

A la fama de esta escritora no es ajena su colaboración como periodista en el diario español *El País*.

Revista

Es usted una autora que vende bien. ¿A qué lo atribuye?

Rosa Montero

Yo creo, en parte, a no tener mala suerte. No digamos a la buena suerte. Hay obras muy buenas, muy interesantes y muy rompedoras pero que no llegan nunca a pasar. En mi caso concreto, en mis libros hay sinceridad, hay honestidad. Sinceridad literaria me refiero

Revista

¿Ha ayudado el que sea usted una periodista famosa?

Rosa Montero

Eso entra dentro de las condiciones que se salvan de la mala suerte... Haber tenido un nombre en un periódico favorece para que te lean la primera vez, para ser oído.

Revista

¿Cómo compagina sus otras actividades con la de escritora de ficción?

Rosa Montero

Para escribir lo he intentado todo. Personalmente he intentado todo tipo de fórmulas porque la novela es muy absorbente y el periodismo también. Para mí ha sido un trauma durante muchos años compaginar las dos cosas desde el punto de vista de horas y de dedicación.

Hay una presión tremenda entre la actividad de periodista y la de escritora. Llevo años resolviéndola y me parece muy difícil de compaginar, y es que vivimos en una sociedad con tal cantidad de estímulos que cuando sacas un maldito libro tienes que someterte, porque quieres apoyar tu libro y que se lea lo más posible, a toda esa ruta de entrevistas, actos públicos y televisiones.

Texto de J. Cominges. (Adaptado de *Qué leer.*)

1. Relaciona estas expresiones con su significado.

a) Una obra rompedora.	1. Buscar alternativas y recursos.
b) Resultar un éxito.	2. Algo innovador.
c) Para ser oído.	3. Continuar estando de moda.
d) Compaginar actividades.	4. Conseguir el objetivo deseado.
e) Seguir en plena actualidad.	5. Para no pasar desapercibido.
f) Intentar todo tipo de fórmulas.	6. Sustituir a alguien y continuar con su cometido.
g) Coger el relevo de ...	7. Llevar a la par dos o más acciones.

2. Conviértete en un periodista y formula preguntas a estas respuestas del escritor J. Marías.

entrevista a

Javier Marías

Este autor vio multiplicarse su fama por Europa a partir de junio de 1996, tras los elogios de la crítica alemana a través de la televisión.

Las ventas.
Lo máximo que había vendido de un libro, de "Corazón tan Blanco", habían sido 150.000 ejemplares.

El lector.
Yo no escribo nunca pensando en que tengo unos lectores determinados, en dirigirme a un público concreto.

El radicalismo.
Cuando uno es más mayor, cuando no comprende algo intenta comprenderlo o, por lo menos, acepta que no lo comprende.

La lectura.
Sigo leyendo bastantes novelas, leo ensayos, biografías, poesía, libros de viajes y clásicos.

La política.
Es una busca del eufemismo y hay vocablos que siempre van a ser contagiados por lo que denominan.

La felicidad.
Yo creo que existe, pero de una manera muy cotidiana.

- Da tu respuesta personal a las preguntas que hayas formulado sobre lecturas favoritas, la política, el radicalismo y la felicidad.

3. Opina sobre las siguientes cuestiones que se sugieren en la entrevista a Rosa Montero

- ¿La publicidad y el márketing son necesarios para la promoción de los productos culturales, o es suficiente la calidad?
- ¿Utilizan los famosos su popularidad para convertirse en "seudo escritores" y obtener beneficios con la literatura? ¿Conoces algún caso?

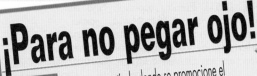

¡Para no pegar ojo!

Elabora un artículo donde se promocione el último trabajo de un actor - actriz / autor - autora. El artículo debe:

- Relatar el suceso respondiendo a las preguntas: ¿Quién...?, ¿Dónde...?, ¿Qué...?, ¿Cuándo...? y ¿Por qué...?
- Contener los elementos siguientes:
  Un titular. Destacado tipograficamente.
  Un encabezamiento: resume la idea central del artículo.
  Párrafos que desarrollen de manera jerárquica los contenidos.
- Expresarse en términos:
  Claros, concisos y correctos.

Índice de autores

JULIO CORTÁZAR

Escritor argentino (nacido en Bruselas, 1914). Con el seudónimo de Julio Denis publicó su único libro de poemas, **Presencia** (1948). Autor del poema dramático en prosa **Los Reyes** (1949), de los libros de relatos **Bestiario** (1951), **Final del juego** (1956), **Las armas secretas** (1959), volumen en el que sobresale la novela corta **El perseguidor**, centrada en la figura del saxofonista negro Benny Carter, antecedente del personaje central de **Rayuela** (1963). Otras obras: **Los premios** (1960), **Historias de cronopios y de famas** (1962), **La vuelta al día en ochenta mundos** (1967), **Último round** (1969), **Alguien que anda por ahí** (1977) y **Queremos tanto a Glenda** (1981). En 1982 se le concedió la nacionalidad francesa. Falleció en París en 1984.

GABRIEL GARCÍA MÁRQUEZ

(Aracataca, Colombia, 1928). Trabajó como periodista en su juventud. Vivió varios años en París, Barcelona y México; en la actualidad reside en su país natal. Debutó como novelista con **La hojarasca** (1955), las novelas cortas **El coronel no tiene quien le escriba** (1958), y **La mala hora** (1962), le siguen el libro de relatos **Los funerales de Mamá Grande** (1962). Su consagración literaria llega con **Cien años de soledad** (1967). En 1975 su obra culminaba con la aparición de **El otoño del patriarca** y el autor anunciaba su decisión de abandonar la narrativa para comprometerse con las causas de los pueblos oprimidos. Seis años después aparece **Crónica de una muerte anunciada** (1981). Otras novelas continúan su extensa producción: **El amor en los tiempos del cólera** (1985), **El general en su laberinto** (1989), **Del amor y otros demonios** (1994), **Doce cuentos peregrinos** (1992). En 1982 recibió el Premio Nobel de Literatura.

JAVIER MARÍAS

(Madrid, 1951). Escritor español. Hijo del filósofo y ensayista Julián Marías, antes de revelarse como uno de los novelistas españoles más relevantes de las últimas generaciones, fue profesor en la Universidad de Oxford, en Estados Unidos, y en la Universidad Complutense de Madrid; también ha destacado con sus varias traducciones literarias, entre ellas, el **Tristram Shandy de Sterne**, que le valió el Premio Nacional de Traducción 1979.

Es autor de las novelas **Los dominios del lobo**, **Travesía del horizonte**, **El monarca del tiempo**, **El siglo**, **El hombre sentimental** (Premio Herralde de Novela 1986), **Todas las almas** (Premio Ciudad de Barcelona 1989), **Corazón tan blanco** (Premio de la Crítica 1993), y **Mañana en la batalla piensa en mí** (Premio Rómulo Gallegos 1995). Ha publicado también un libro de relatos, **Mientras ellas duermen**, dos colecciones de artículos y ensayos, **Pasiones pasadas** y **Literatura y fantasma**, un volumen de biografías breves, **Vidas escritas**, y la antología **Cuentos únicos**. Sus obras se han traducido a varios idiomas y se publican en casi todos los países de Europa occidental con excelente acogida de crítica y de público.

ROSA MONTERO

(Madrid, 1951). Periodista y novelista de reconocido prestigio y éxito. Su actividad como periodista se desarrolla sobre todo en el diario El País, a través de entrevistas, columnas y reportajes.
Desde su primer libro publicado, **Crónica del desamor**, en 1978, su biografía consta de títulos como **Función Delta** (1982), **Te trataré como a una reina** (1984), **Temblor** (1989), **El nido de los sueños** (1991), **Bella y oscura** (1992), e **Historias de mujeres** (1995). Feminista en lucha por conseguir una sociedad no sexista.

MARUJA TORRES

(Barcelona, 1943). Se hizo famosa en la última etapa del franquismo y la transición. Su labor periodística no ha dejado faceta sin abordar, desde sus trabajos de guerra en los frentes del Líbano y Panamá y los menos cruentos en sus libros de la jet-set, a sus libros de paz y afectos en las Américas. Pertenece a la redacción del diario El País. Sus últimos libros son **Amor América**, **Como una gota** (1996). Su última novela, **Un calor tan cercano** (1996).

ESTHER VILAR

(Buenos Aires, 1935). Estudió Medicina, Psicología y Sociología. Hasta 1963 ejerció la Medicina. A partir de entonces se dedicó a escribir. Alcanzó fama internacional con su trilogía sobre la situación de los sexos: **El varón domado**, **El varón polígamo** y **Teoría para un nuevo machismo**. En 1989 escribió **El encanto de la estupidez**.

PRUEBA 1: COMPRENSIÓN DE LECTURA

EJERCICIO SEGUNDO

A continuación encontrará una entrevista que se hizo al modisto español **Paco Rabanne**, en *El Semanal*.

Aquí se le ofrecen, en la columna **A**, las intervenciones de la periodista y en la columna **B** las respuestas que dio el modisto.

Lo que usted debe hacer es relacionar cada pregunta de la columna **A** con su respuesta de la columna **B**.

A ¿Qué le enseñó su madre en aquella situación?

1 De mi madre. Ella trabajaba de costurera en casa de Balenciaga, en San Sebastián. De tanto oírla hablar de moda, poco a poco me fui apasionando por la alta costura.

B ¿Influyó mucho en su forma de ser?

2 He hecho trajes para muchos tipos de mujer. Mujeres sencillas, vedettes, actrices, princesas, y Ahora bien, son mujeres clásicas. La mujer que desee un traje convencional debe ir a otro costurero.

C ¿De dónde le viene su pasión por la moda?

3 No olvide que he sido criado por dos mujeres. Una, que era mi abuela, muy católica, que iba cada mañana a misa, barría y arreglaba la iglesia del pequeño pueblo donde vivíamos. La segunda, mi madre, que era todo lo contrario: anticlerical y muy materialista. Yo he estado siempre en medio de esos dos mundos. El de la razón y el de la fe.

D ¿Las mujeres para las que Vd. diseña tiene algo en común?

4 Muchas cosas. Era una mujer fabulosa, con un carácter magnífico, que ha sido esencial en mi vida y en mi educación porque ha hecho de padre, de madre, de hermana.

E ¿A qué diseñadores admira más, si es que admira a alguien?

5 Recuerdo que me dio un consejo que he seguido al pie de letra: "Paco, no tienes derecho a destrozar ni la femineidad ni la belleza de una mujer".

F También tiene fama de ser un místico. ¿Lo es?

6 Todos tienen talento, de lo contrario no hubieran llegado donde lo han hecho.

PRUEBA 2: EXPRESIÓN ESCRITA

Véase Aprieta los codos: Carta. (Pág. 49)

PRUEBA 3: COMPRENSIÓN AUDITIVA

A continuación escuchará una opinión sobre la publicidad en Internet.

PREGUNTAS

1 La grabación informa que en las sociedades capitalistas:
a) El momento del consumo no indica el fin del proceso.
b) El consumo es fundamental para la producción.
c) El consumo no desaparece nunca.

2 En la grabación se dice que la publicidad:
a) Por el hecho de ofrecerse a sí misma no es democrática.
b) Por su gran alcance hace creer que la plena satisfacción del consumo es posible.
c) Perjudica la economía de la familia.

3 La persona que habla, asegura que la publicidad:
a) Vende estereotipos desfasados.
b) Une los pueblos.
c) Utiliza la distinción entre los grupos sociales.

4 Según la grabación, la publicidad en Internet:
a) Margina a una importante porción de la población.
b) Deja de poseer las características que le son propias.
c) Es menos rentable que la publicidad tradicional.

PRUEBA 4: GRAMÁTICA Y VOCABULARIO

SECCIÓN 1: TEXTO INCOMPLETO

Complete el siguiente texto eligiendo para cada uno de los huecos una de las tres opciones que se le ofrecen.

TEXTO

"LA FIDELIDAD DE UN CLIENTE ESTÁ POR ENCIMA DE CUALQUIER BENEFICIO ECONÓMICO.

• **¿Por qué se devuelve el dinero si el cliente no queda satisfecho?**
Así ha sido siempre, porque ___1_b_ que el cliente tiene un cheque al portador en la mercancía que compra. Sabe que puede confiar en que, si no está muy _b_2___ de lo que ha comprado, nosotros no le vamos a cuestionar sus _a_3___ . Simplemente se lo cambiaremos o le devolveremos el dinero que pagó.

• **Supongo que esta filosofía se traduce en un aumento de los beneficios económicos.**
La fidelidad de un cliente está por encima de cualquier beneficio económico, aunque al final se _c_4___ en rendimientos. Si un cliente hace una reclamación y nos _b_5___ a devolverle el dinero, probablemente no volverá a comprarnos nada. Pero es más, le ___6_a_ a su esposa, amigos y compañeros de trabajo lo mal que tratan a la gente en ese establecimiento, y podríamos perder a otros clientes y ganar un cliente ___7_c_ mucho.

• **Así que prefieren arriesgarse a los probables abusos de sus clientes antes que perderlos.**
Después de gastarnos cientos de millones en publicidad no vamos a _c_8___ por unos cuantos más que puedan ___9_b_ de esos abusos. Aunque sea _a_10___ que un cliente te esté engañando,
vale más que le cambies la prenda o le devuelvas el dinero. Se irá tan contento.   swindle
                        artile

Máximo Aparicio,
subdirector de
ventas de Cortefiel

OPCIONES

1	3	5	7	9
a) suponemos	a) razones	a) privamos	a) provoca	a) ocurrirse
b) creemos	b) reparos	b) negamos	b) vale	b) derivarse
c) nos figuramos	c) pretextos	c) impedimos	c) cuesta	c) desprenderse

2	4	6	8	10
a) enamorado	a) redacte	a) contará	a) economizar	a) evidente
b) convencido	b) explique	b) recitará	b) eludir _avoner_	b) refutable
c) sugestionado	c) traduzca	c) numerará	c) regatear _hagge_	c) negativo

54

SECCIÓN 2: SELECCIÓN MÚLTIPLE

En cada una de las frases siguientes se ha marcado con letra negrita y cursiva un fragmento. Elija entre las tres opciones de respuesta, aquella que tenga un significado equivalente al del fragmento marcado.

1 **Estaban de palique** cuando los vimos en el portal.
a.- estaban tomando algo
b.- estaban discutiendo
c.- estaban charlando ✓

shadow – bu

2 Desde los comienzos **le hizo sombra** en su negocio.
a.- fue su sombra
b.- le impidió prosperar ✓
c.- le ayudó en los momentos difíciles

eyebrow

3 El presidente lo **tiene entre ceja y ceja** desde la última reunión.
a.- lo recuerda gratamente
b.- lo mira con miedo
c.- le tiene manía ✓
dislike

cheep

4 **No dijo ni pío** cuando le robaron.
a.- no lo dijo en voz alta
b.- no protestó casi
c.- no dijo absolutamente nada ✓

branch

5 Tenemos poco tiempo, así que **no te andes por las ramas**.
a.- habla con claridad ✓
b.- date prisa en hacerlo
c.- no pierdas tiempo en pensar

6 El otro día pasó la noche **al raso.**
a.- al aire libre ✓
b.- mirando las estrellas
c.- sin dormir

hare

7 Me han dado **gato por liebre** al comprar la lavadora.
a.- me han confundido
b.- me han hecho una rebaja
c.- me han engañado ✓

8 No sé cuando leerlo, **si a mal no viene** en el metro.
a.- tal vez ✓
b.- si me acuerdo
c.- si tengo una mano libre

9 Este plato **es pan comido**, no se tarda nada en hacerlo.
a.- está hecho a base de pan
b.- es fácil de hacer ✓
c.- es apetitoso

rag

10 Tiene que ir de compras porque **anda hecho un pingo**.
a.- anda sin rumbo *sin causa*
b.- va vestido como un payaso
c.- va mal vestido ✓

SECCIÓN 3: DETECCIÓN DE ERRORES

A continuación le presentamos dos textos. En ellos, debe Ud detectar un total de cinco errores. Estos errores se han distribuido al azar, de manera que puede haber, por ejemplo, 4 en el primer texto y uno en el segundo; o 2 en el primero y 3 en el segundo.

Razones para acabar con la contraprogramación:

Porque inventa confusión , fomenta el zapping y termina provocando que se abandona la costumbre a ver la televisión.

Porque	inventa	confusión,	fomenta	el	zapping	y	termina	provocando
1	2	3	4	5	6	7	8	9

que	se	abandona	la	costumbre	a	ver	la	televisión.
10	11	12	13	14	15	16	17	18

Porque propicia una política para altos precios en la contratación de los presentados y actores.

Porque	propicia	una	política	para	altos	precios	en	la
19	20	21	22	23	24	25	26	27

contratación	de	los	presentados	y	actores.
28	29	30	31	32	33

sumario   pág.

PATRIOTAS EN EL CARIBE

Texto leído con acento catalán

● Los españoles hemos salido muy pendones. Ya me entienden: quiero decir muy viajeros. En este último ir y venir por los vuelos chárter y los cruceros hay un irrefrenable deseo de expiar la hospitalidad que durante tantos años nos ha mantenido atados a la pata de la patria y al papel de anfitriones, cuando aquí entraban los turistas a mogollón y había que hacer el paripé. Ahora el paripé nos lo hacen a nosotros- viajeros de cursillo acelerado, trotamundos de ocasión- cuando salimos fuera arrastrando un cuerpo fatigado, ansioso de sensaciones nuevas.

● Hoy, uno de nuestros destinos preferidos es el Caribe. Al Caribe vamos en familia, en pareja, en comandita o con un grupo de amables desconocidos que, al igual que nosotros, necesitan sacudirse la grisura invernal.

● Pero existe otro turismo. Es el turismo de los viajes de novios, que tradicionalmente han elegido las islas para inaugurar el matrimonio. Los recién casados, hoy, estrenan su amor conyugal en el Caribe, junto a decenas de novios que también estrenan amor, chancletas y botsas de viaje. Ellos vuelven a España con el sarpullido del sol a cuestas y ellas muestran orgullosas las trencitas que una nativa tejió en su pelo, aquel día en que también saborearon por primera vez la dulzura resbalosa del mango.

● Gabriel Felip, un catalán universal que dirige doce hoteles en el área del Caribe, conoce como nadie los comportamientos de los españoles que buscan refugio en el trópico.

Para Felip, la idea de *vacacionar* - un verbo todavía no admitido por los santones de la lengua- es la que mejor inspira la filosofía de estos turistas.

Vacacionar excluiría conocer ciudades, gentes, hacer pinitos con la comida criolla o exponerse a los riesgos de la iniciativa propia. De treinta y siete mil turistas españoles que eligieron la República Dominicana para pasar sus vacaciones en 1995, un porcentaje altísimo lo hicieron bajo la consigna comercial del todo incluido.

● El turista contrata en España la vacación completa, desde la cama a las bebidas y, ya en su destino, el hotel le coloca un distintivo - una pulserita, digamos - para que pueda moverse por todo el complejo sin necesidad de acreditar continuamente que hizo el desembolso en España.

Es un turista muy protegido. Nada más poner pie en el Caribe, un representante del tour operador le convoca a un reunión para recordarle en qué país está, cuál ha de ser el índice de protección de la crema solar, o cómo anda la cosa del regateo.

Superada esta primera lección, lo demás va sobre ruedas: bailar merengue, engancharse a la piña colada o susurrar hermosas canciones de Los Panchos.

Texto de C. Rigalt. (Adaptado de *La Revista*.)

¿LO HAS ENTENDIDO?

1 **De las siguientes opciones elige la que resume el contenido del texto. Justifica tu respuesta con argumentos del texto.**

  a) Los españoles cansados de ser los anfitriones se marchan fuera de la patria.

  b) Las vacaciones organizadas de los turistas españoles en el Caribe.

  c) Los españoles organizan individualmente sus vacaciones en el Caribe.

2 **De las siguientes afirmaciones señala cuál es la falsa.**

Los españoles en sus ansias de viajar buscan: *(yearning)*

  a) tener sensaciones nuevas;

  b) lugares cálidos y soleados;

  c) aprender a ser hospitalarios. *hospitable*

El viajero español es:

  a) viajero de cursillo acelerado;

  b) turista experimentado;

  c) trotamundos de ocasión. *cheap*

Los novios estrenan su amor conyugal:

  a) tradicionalmente en las Islas;

  b) hoy en día en el Caribe;

  c) en lugares solitarios del planeta.

El comportamiento de los españoles de vacaciones en el trópico excluye:

  a) conocer ciudades y gentes;

  b) exponerse a los riesgos de la iniciativa propia;

  c) tener todo incluido.

Reciben consejos sobre:

  a) cómo está el cambio de la peseta;

  b) el índice de protección de la crema solar;

  c) cómo anda la cosa del regateo.

Sus diversiones preferidas son :

  a) beber piña colada;

  b) hacer pinitos con la comida criolla;

  c) bailar merengue.

PIÑA COLADA

3 **En el texto hay varias expresiones de registro familiar:**

Ser / salir muy pendones, entrar a mogollón, hacer el paripé.

Intenta deducir su significado y haz una frase con cada una de ellas.

4 **Rellena el esquema utilizando los siguientes términos para definir al turista español y al de tu país.**

1.- Es un viajero de cursillo acelerado.
2.- Es un trotamundos.
3.- Es un turista protegido.
4.- Va a tomar el sol.
5.- Estrena amor, chancletas y bolsas de viaje.
6.- Vive de noche y duerme de día.
7.- Va en comandita o con un grupo de amables desconocidos.
8.- Está ansioso de sensaciones nuevas.
9.- Desconoce las costumbres.
10.- Degusta la comida del país.
11.- Se relaciona con los nativos.
12.- Viaja por su cuenta.

SOLTERO		RECIÉN CASADOS		FAMILIA	
ESPAÑOL	PAÍS	ESPAÑOL	PAÍS	ESPAÑOL	PAÍS
6	6	5	5	3	3
7	7	9	9	4	4
8	8				

¿LO HAS ENTENDIDO?

5 Profundiza.

[handwritten: 4 es posible entrar en el estadio colándose para ver el partido]
[handwritten: 5. 2 Ladrones entraron por la fuerza en la casa de uno de mis amigos y les robaron muchas joyas]
[handwritten: 6 Entró en volandas, cojió las llaves y salió sin hablar conmigo]

A **¿Qué diferencia hay entre estas expresiones?**

1 - Entrar a mogollón. *[handwritten: a lo mejor]*
2 - Entrar en fila. *[handwritten: en la escuela]*
3 - Entrar a empujones. *[handwritten: a menudo]* *[handwritten: pushing]*
4 - Entrar colándose.
5 - Entrar por la fuerza.
6 - Entrar en volandas.

[handwritten: 2/3 A lo mejor los niños entran en la clase en fila, pero normalmente entran a empujones]

Busca dos situaciones para cada una de ellas.

B **Busca tres palabras con el prefijo *com-* relacionadas con vocabulario de viaje.**

Ej.: Compartir.

[handwritten: compañía / companía / compartimento / compatriota / complejo turístico / completo / comprobar]

C **Regatear es igual que ...**

1- Hacer descuento.
2- Comprar / Encontrar una ganga.
3- Liquidar por cese.
4- Ser una oferta.
5- Discutir el precio de una mercancía.

Forma una frase con cada una de estas expresiones.

[handwritten: sin preocuparse de nada — la opinión / preocuparse de que los demás tienen de sí mismo]

D **A partir del sustantivo "complejo" que aparece en el texto señala las diferencias que existen entre:**

"moverse por el complejo", "moverse sin complejos", "ser complejo", "tener complejos".

[handwritten: en todas partes del]
[handwritten: tener el carácter muy complicado]

E **¿Qué es un sarpullido? ¿ Qué puede provocarlo?**

Ej.: Una erupción cutánea. *[handwritten: un ataque / el sarampión]*

F **Define estos términos relacionados con los viajes.**

Ej.: Billete: tarjeta o cédula que se adquiere para tener derecho a ocupar un asiento.

- Visado: *[handwritten: visitar a cierto país]*
- Escala: *[handwritten: una parada en ruta entre vuelos]*
- Ruta: *[handwritten: camino que se prende para llegar a destino]*
- Mapas:
- Guías:
- Moneda:
- Vuelo chárter:
- Pensión completa:
- Transbordo :
- Seguros:

G **Completa con palabras compuestas siguiendo el modelo.**

*Ej.: Una persona que piensa con mala intención es un **malintencionado**.*

[handwritten: trotamundos]

Una persona que viaja mucho es un ..... *[handwritten: curtido / con muchos kilómetros a sus espaldas]*
Una persona que lo sabe todo es un ..... *[handwritten: sabelotodo]*
Una persona que piensa mal de los demás es un(a) ..... *[handwritten: malpensado (a)]*
Una persona que posee autoridad social es un ..... *[handwritten: policía (un mandamás) — not normal words]* *[handwritten: chef]*
Una persona que lleva y trae cuentos y chismes es un ..... *[handwritten: chismoso / una cotilla]*

EL CAFETÍN

TEMA: INVENCIÓN DE UNA HISTORIA

ACCIÓN PREVIA

Cada alumno aportará un mínimo de cuatro fotografías que hagan referencia a distintos momentos de una actividad de ocio que haya realizado: vacaciones, excursiones, espectáculos, etc.

DESARROLLO

Se forman grupos de tres o cuatro miembros. Debe resultar un número par de grupos.

a) EXPOSICIÓN ORAL INDIVIDUAL   10 minutos

Cada alumno realiza una breve narración de su historia, basándose exclusivamente en los elementos presentes en las fotografías.

b) TRABAJO EN GRUPO   20 minutos

✓ Se seleccionan una o dos fotografías de cada uno de los miembros del grupo.
✓ Se ordenan a fin de determinar las escenas de una historia nueva.
✓ Se busca un título a la narración.
✓ Se elabora un guión de la historia.
✓ Se pone un pie a cada una de las fotos.
✓ Se inventan diálogos de algunas de las situaciones.
✓ Se crea un final.

c) EXPOSICIÓN ORAL DE GRUPO 30 minutos

Se sortean parejas de grupos (A, B) y orden de intervención.

1ª VUELTA

• Cada grupo A expone desordenadamente las fotografías aportadas por cada miembro, muestra aparte los pies creados para las fotografías seleccionadas y lee la historia inventada, dramatizando los diálogos creados.

• Cada grupo B especifica qué fotografías han utilizado y en qué orden. Determina a qué fotografías corresponden los pies creados.

2ª VUELTA

• Cada grupo B expone.
• Cada grupo A contesta.

¡PARA NO PEGAR OJO!

Imagina y narra los hechos de unas vacaciones ideales.
Ten en cuenta estos consejos para elaborar una narración :

◆ Descripción física de cosas y lugares.
◆ Descripción física y psíquica de personas.
◆ División del relato en escenas.
◆ Respeto del orden cronológico y temporal.
◆ Desenlace.
◆ Utilización de marcadores que expresan el desarrollo de la acción:
Aún sigue, finalmente, por fin, año tras año, por minutos, al atardecer, al amanecer, al anochecer, etc.

¡PARA NO PEGAR OJO!

APRIETA LOS CODOS

Escrito descriptivo

Definición: Su objetivo es definir el mundo perceptible por los sentidos (personas, animales, paisajes) o el de las sensaciones, sentimientos y emociones.

Pautas:

◆ La descripción puede ser **técnica** (se aporta una información), **literaria** (se comunica una emoción...) o **dinámica** (se enumeran los movimientos).

Aspectos lingüísticos:

Se utiliza una abundante adjetivación y procedimientos literarios (comparaciones, eufemismos, metáforas...). Tiempos narrativos: Pretérito Imperfecto, Indefinido e Infinitivo.

> *Laura y yo contemplábamos los atardeceres sobre el Nilo. Las esbeltas siluetas de los remeros de las falucas, con su elegante pantalón negro ajustado a las piernas, se destacaban contra el cielo y se reflejaban en el agua. Yo sentía un extraño tirón que me atraía y vinculaba a aquellos seres de ojos profundos y brillantes y de gruesas pestañas; a aquellas mujeres colosales, que avanzaban por las aceras como bulldozers, ante las que tenías que apartarte salvo que quisieras morir apisonada; a aquellos niños sonrientes y pedigüeños y a aquellos baladíes, venidos de no se sabe dónde a curarse a El Cairo o perderse definitivamente en él. Rodeada del caos de la ciudad, yo percibía el latido de su intimidad entre mis manos como el corazoncillo de un pájaro que, después de recorrer el cielo, hubiese caído sin saber cómo en mi poder.*
>
> Texto de A. GALA. (*La pasión turca.*)

DELE superior

PRUEBA DE PREPARACIÓN AL DELE. EXPRESIÓN ESCRITA. REDACCIÓN.

◆ Escribe una redacción de 150 - 200 palabras (15 - 20 líneas).

De los viajes que has realizado, alguna vez te habrá llamado la atención un individuo o grupo humano. Redacta un texto donde deberás describir:

◆ La localidad, región o país.
◆ El aspecto físico y psicológico de la/s persona/s.
◆ Los sentimientos que despertaron en ti sus palabras o hechos.

Subjuntivo / Indicativo

● **ORACIONES SUSTANTIVAS**

Vp (Verbo principal) + **que** + **Vd** (Verbo dependiente) en **Subjuntivo.**

◆ Verbos de emoción: **Sentir, alegrar, apetecer, doler,** etc.
  - El contenido de la subordinada señala los efectos que produce en el ánimo.

  *Se han alegrado de que les **escribieras**...*

◆ Verbos de influencia: **Aconsejar, necesitar, querer, rogar, oponerse,** etc.
  - El sujeto del **Vp** influye sobre el sujeto del **Vd**.

  *Nos rogó que se lo **diéramos**.*

◆ Verbos de lengua, percepción física o actividades mentales: **Decir, ver, oír, observar, creer, sospechar,** etc.

   a. En forma negativa la principal, el hablante no se pronuncia sobre la veracidad de la subordinada:

     *No recuerda que lo **viera** en Barcelona.*

   b. Cuando equivalen a verbos de influencia.

     *Dile que (no) me **esperen.***

   c. En forma afirmativa la principal, el hablante se limita a aportar una información: **Vd.** en Indicativo.

     *Observó que nadie le **hacía** caso.*
     *Creo que **se ha marchado** ya.*

● **ORACIONES SUSTANTIVAS (QUE DEPENDEN DE IMPERSONALES)**

Las impersonales suelen ser apreciaciones o juicios de valor:
Es indudable, está visto, es seguro, consta, parece que, etc.

   ◆ **V. en 3ª pers. sing. + que + Vd (Subjuntivo).**

   En forma negativa la principal, las sustantivas informan de un hecho no probado.

     *No es seguro que le **hayan dado** el recado.*

   ◆ **V. en 3ª pers. sing. + que + Vd (Indicativo).**

   En forma afirmativa la principal, las sustantivas se usan para indicar verdad, certeza o seguridad.

     *Es evidente que no lo **localizó** en el trabajo.*

1   Sustituye los infinitivos por las formas verbales adecuadas.

Dudo que (*él, conocer*) _____ los resultados.
Su actitud ha supuesto que lo (*ellos, expulsar*) _____ de la Facultad.
No es verdad que lo (*ella, confesar*) _____ante el juez.
Está claro que (*él, seguir*) _____bebiendo.
Me molesta que (*él, dudar*) _____de que (*yo, estar*)_____ conforme.
Sospechó que (vosotros, salir) _____anoche.
No se dio cuenta de que le (*ellos, pinchar*) _____las ruedas.
Me opongo a que le (*tú, ocultar*) _____la verdad.
Sentimos que no (*vosotros, poder*) _____acompañarnos al recital.

2   Pon el infinitivo en la forma adecuada en las siguientes frases y escribe otras que signifiquen lo mismo sin alterar el matiz.

     Lo convenció de que (él, marcharse) se marchara a las 12h.
     Consiguió persuadirle de que debería irse *a las 12h.*

Pidió a los concursantes que (*aguardar*) _____.
_____
Les duele que el joven no (*manifestar*) _____ su opinión.
_____
Negó que (*estar*) _____ detenido un mes.
_____
No entendió que (*ella, olvidarse*) _____ de felicitarlo.
_____
Les apenó que no (*él, tener*) _____ para comer.
_____
Nos alegramos de que (*suceder*) _____ lo que esperábamos.
_____

Selecciona la opción adecuada.

¡Venga a Gran Hotel Los Novios!

☐ **a** *Les invitaremos a su convite / banquete / festín... de bodas.*

☐ **b** *Les invitaremos a probar / catar / golosinear... el menú que elijan antes de su boda.*

☐ **c** *Les invitaremos a diferenciar / entresacar / seleccionar... las mejores sorpresas.*

☐ **d** *Les invitaremos a pasarlo muy bien, para que su boda sea informal / inolvidable / imperecedera.*

☐ **e** *Les invitaremos a pasar en nuestro hotel su noche marital / nupcial / conyugal.*

☐ **f** *Y en años sucesivos les invitaremos a celebrar su santo / fecha / aniversario.*

 Relaciona las columnas.

EL TURISTA:

1- ES AUTOSUFICIENTE

A- Se decide a última hora, aunque eso le obligue a aceptar cualquier plan.

2- ES IMPROVISADOR

B- Nunca necesita ayuda; se las puede arreglar muy bien solo.

3- ES DESCONSIDERADO

C- No le importa que lo esperen, ni que los compañeros de viaje soporten su mal humor.

 Redacta una definición referente a un turista para los siguientes adjetivos:

Desconfiado, olvidadizo, protestón

EL AYER DE... El Ocio

La Gastronomía Española

COCINA ARÁBIGO - ANDALUZA

El periodo que se inicia con la invasión de los árabes en el año 711, aporta a la conquista el acervo de su cultura, que ha de fundirse con los aborígenes hispanos, originando nuevos cambios de hábitos.

Los árabes cultivaron en la región valenciana el arroz, pero no hay constancia de que lo cultivaran en gran escala.

Crearon verdaderos vergeles en los que se aclimataron gran variedad de frutales, alcanzando gran fama las frutas españolas: las cerezas, las peras y manzanas en los valles del Ebro y del Jalón, las granadas valencianas, las uvas y especialmente los higos. En Levante se cultivaba el almendro, especialmente en Alicante, Málaga y Almería, pues sus frutos eran muy utilizados en labores de dulcería. También aclimataron en España la palmera datilera africana. El palmeral que hoy existe en Elche era ya famoso en la época califal. Los árabes gustaban mucho de los cítricos, que se cultivaban en la costa mediterránea, como el limón -introducido por los romanos-, que era originario de Persia, y la cidra, llamada naranja del Yemen. Estos frutos se confitaban con azúcar.

Eran muy aficionados a las verduras y hacían gran consumo de escarolas, espinacas, acelgas, zanahorias, rábanos, cebollas, melones, sandías, etc.

La cocina arábiga era pródiga en condimentos herbáceos, por lo que en casi todos los huertos existían semilleros de estas plantas: cominos, anís de grano dulce, mostaza, menta, hierbabuena, perejil. Pero el condimento más importante para la economía era el azafrán, como aderezo en la mayoría de los platos. Se cultivaba en Valencia, en algunos lugares de Andalucía (como Baza y Priego) y en zonas del centro. Alternando con los olivares y los huertos, se encontraban extensas zonas de viña, a pesar del precepto coránico que prohíbe el vino a los mahometanos. La uva, uno de sus frutos preferidos, la tomaban fresca, pero también desecada para convertirla en pasas. De todo esto se desprende que la cocina arábigo - andaluza era muy variada y de cierta complejidad, diferenciándose del resto de las cocinas musulmanas.

Ya existía entonces una especie de código de la buena mesa. Estas normas gastronómicas se impusieron a finales del s. IX y enseñaban a los cordobeses cómo una comida correcta debía ajustarse a cierto orden establecido. Se comenzaría con un plato de sopa o potaje, seguido de las carnes y las aves, para terminar con los platos de dulce.

Texto de M. M. Martínez Llopis.
(Adaptado de *Historia de la Gastronomía española*.)

Aragón

RÍO TER

RÍO EBRO

Valencia

RÍO GUADALQUIVIR

Murcia

 Andalucía

RÍO GUADIANA

Texto leído con acento andaluz.

¿LO HAS ENTENDIDO?

1 Contesta con verdadero o falso

A Los árabes cultivaron el arroz en gran escala en la región valenciana.
B La palmera datilera africana era conocida por los califas.
C Los higos escasearon en la Península.
D La almendra es un fruto utilizado en la cocina árabe para la repostería.
E Los cítricos fueron introducidos por los árabes en la Península, tras la invasión.
F El azafrán se cultivaba principalmente en Valencia.
G Los platos no seguían un orden riguroso de aparición en la comida.

2 ¿A qué se refiere el autor al hablar del "cambio de hábitos"?

3 Busca el adjetivo y sustantivo de estos verbos cuando sea posible:

A Cultivar: B Crear: C Aclimatar:

D Confitar: E Aderezar: F Desecar:

4 Reconstruye estas expresiones idiomáticas sobre alimentos del texto e indica una situación de uso:

uno / a / comino / un / Importarle
Importarle a uno un comino :
Ej.: María : "A mí, el fútbol me importa un comino".

A naranja / de / media / la / Ser / alguien
B una / Estar / como / pasa
C Mandar / espárragos / a / freir
D de / manzana / la / discordia / la / Ser
E más / que / una / fresco / lechuga / Quedarse
F brevas / higos / a / de / Suceder
G peras / Pedirle / al / olmo

5 Greguerías gastronómicas.

Recurre a tu sentido del humor e inventa otras greguerías sustituyendo lo subrayado.

A Los macarrones son <u>instrumentos de viento</u> que nos comemos. = *tubos comestibles.*

B El jamón de York es <u>un jamón anémico.</u> = *una loncha de mortadela venida a más.*

C La langosta tiene, en vez de ojos, <u>gemelos de teatro.</u> = *gafas de buceo.*

D El rábano tiene <u>pelos</u> en la nariz. =*cuerdas.*

E La sartén es <u>el espejo de los huevos fritos.</u> = *el solarium.*

F La sidra quisiera ser champán, pero no puede serlo porque <u>no ha viajado bastante por el extranjero.</u> = *es fémina.*

G El tapón del champán es <u>una bala fracasada.</u> = *un hongo volador.*

H Con los langostinos siempre perdemos dinero, porque <u>les sobra cabeza, bigotes, coraza.</u> = *les falta cuerpo.*

I El arroz con leche es el postre <u>más maternal.</u> = *la comida de los osos polares.*

J El gorro del cocinero es <u>el gran merengue.</u> = *lo que la guinda al pavo.*

GREGUERÍAS

*El escritor español **Ramón Gómez de la Serna** dio este nombre a un tipo escrito muy breve que define de un m irónico y absurdo objetos o aspecto de la vida corriente.*

APRIETA LOS CODOS

Pronombres personales complemento

Pronombres Complemento.

		Complemento directo	Complemento indirecto	Complemento con preposición
Singular	1ª	me	me	mí, conmigo
	2ª	te	te	ti, contigo
	3ª	lo (le), la	le / se	él, ella /sí, consigo
Plural	1ª	nos	nos	nosotros / as
	2ª	os	os	vosotros / as
	3ª	los (les), las	les / se	ellos, ellas / sí, consigo

Pronombres Reflexivos.

me, te, se, nos, os, se

Características del Pronombre.

A. Agrupación

♦ El pronombre complemento indirecto LE(S), cambia a SE al unirse al pronombre complemento directo LO(S) / LA(S).

*Devuelve la camisa a Julia. = Devuélve**sela**.*
O.I. O.D.
(le) (la)

B. Posición

♦ Van delante del verbo en forma personal. En primer lugar el complemento indirecto y en segundo el complemento directo.

*Luis **se lo** envió por correo electrónico.*
*¿**Se te** ha perdido un botón?*

♦ Cuando el verbo está en Infinitivo, Gerundio o Imperativo, el pronombre complemento se coloca detrás (enclítico), y unido al verbo.

*Quiero regalar**te** algo especial.*
*Estás mintiéndo**me** de nuevo.*

Errores de uso.

♦ **Leísmo:** Se denomina así al uso, muy extendido, del pronombre LE/S referido a persona/s en lugar del pronombre complemento de Objeto Directo LO/S. Su uso está aceptado por la Academia para el masculino.

*Lo / **Le** reconocí en cuanto me habló.*

♦ **Laísmo:** Se denomina así al uso del pronombre LA/S referido a personas en lugar del pronombre complemento de Objeto Indirecto LE/LES. Su uso no está aceptado por la Academia.

La dije que volvería a llamar. (Incorrecto.)
***Le** dije que volvería a llamar. (Correcto.)*

♦ **Loísmo:** Se denomina así al uso, poco frecuente, del pronombre LO/S referido a personas en lugar del pronombre complemento de Objeto Indirecto LE/S. Su uso es igualmente incorrecto y no aceptado por la Academia.

Lo regalé a Pedro el último disco del grupo. (Incorrecto.)
***Le** regalé a Pedro... (Correcto.)*

1   Corrige los pronombres que no sean correctos.

La entraron ganas de comer - **Le** *entraron....*

- ◆ No la encanta trabajar en esta ciudad.
- ◆ La dijeron que el papel era para ella.
- ◆ La dieron la mejor mesa del restaurante.
- ◆ El traje, le he llevado a la modista.
- ◆ Últimamente la van muy mal las cosas.
- ◆ Le pone nervioso tener que hacer tantas entrevistas.
- ◆ Le encontró en el metro por casualidad.
- ◆ La envié un paquete a María para su cumpleaños.
- ◆ Se la ponen los pelos de punta cuando oye esas noticias.

2   Completa con los pronombres LO(S) - LA(S) - LE(S) - SE.

- ◆ .... puso la cara roja de tanto tomar el sol.
- ◆ .... extraño es que no haya dicho ni media.
- ◆ Estoy arreglándome para el baile de Carnaval.
- ◆ Yo no .... dije de sopetón sino poco a poco.
- ◆ No .... piense (usted) más y decida........ ya, es nuestra mejor oferta.

3   Subraya e identifica en estas oraciones todos los pronombres que actúen como complemento de Objeto Directo o Indirecto.

- ◆ Tu hermana me echó la bronca por llegar tarde.
- ◆ El asaltante lo zarandeó para atemorizarlo.
- ◆ Ellas nos ofrecieron su casa para las vacaciones.
- ◆ Ya nos lo habían advertido con anterioridad.
- ◆ ¿Te concedieron el crédito?
- ◆ Finalmente nos dijo su secreto.
- ◆ Las engañé para que no nos siguieran.
- ◆ Este mueble lo restauraré cuando tenga tiempo.
- ◆ Les trajeron sus comidas en bandejas individuales.
- ◆ En aquella entrevista de trabajo me prometieron el oro y el moro.

4   Completa los espacios con pronombres personales.

SOPA DE MANZANA

Las manzanas .... pelan, ... partes en cuadraditos y .... pones a remojar en agua con una cucharada de sal para que .... conserven blancas. Desde que yo recuerdo, esta sopa .... preparaba en casa con motivo de la visita que mi tío realizaba a la capital cada año. Cada vez que yo ayudaba a preparar........ escuchaba lo sencillo, lo bueno, lo inteligente, lo guapo, lo simpático y lo maravilloso que era mi tío. Las palabras de mi madre actuaban en mi interior como gas vanidoso, que inflaba mi pecho cual si fuera un globo y .... enderezaba con orgullo. ¡Qué importante .... sentía de pertenecer a la familia Romero! En todo México no podía existir una de mejor casta, linaje y alcurnia. Era inevitable que mientras doraba la harina y .... ponía a freír en el aceite hasta que .... dorara, hablara de la última empresa del portentoso tío y mientras .... molían el jitomate y la cebolla y .... ponían a hervir hasta que .... sazonaran, ... comentara sus más recientes adquisiciones. Fue una de esas tardes, mientras movía continuamente el caldillo para que no .... formaran grumos, cuando escuché que mi tío había sido llamado por el gobernador a ocupar un puesto político en el estado de Tabasco.

No recuerdo una sola vez en que .... haya quedado mal. Sin embargo desde que murió mi tío asesinado el año pasado no .... ha vuelto a quedar bien. No sé por qué. No sé si es porque el fantasma de mi tío impregna de un sabor desilusionante la sopa, no sé si es porque al ir a su entierro a Tabasco .... enteramos de que todos .... odiaban.

Texto de L. Esquivel. (Adaptado de *Como agua para chocolate*.)

¡ARRIBA EL TELÓN!

GRAN ESTRENO

TEATRO "LA FARSA"

Cuatro Corazones con freno y marcha atrás

Enrique Jardiel Poncela

SINOPSIS:

Dos parejas de enamorados: Ceferino (Bremón)-Hortensia, de edad avanzada y Ricardo-Valentina, más jóvenes, junto al cartero Emiliano, deciden tomar una sustancia que les proporcionará la eterna juventud, solucionando a la vez sus dificultades económicas y amorosas. Pero está demostrado que el ser humano no está capacitado para enfrentarse a una felicidad imperecedera.

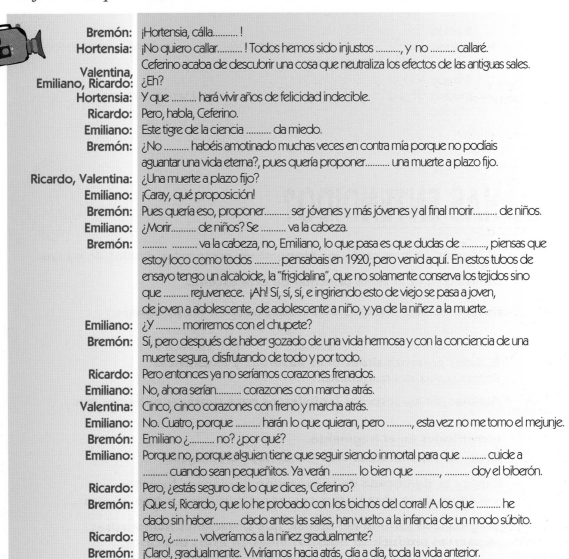

Bremón:	¡Hortensia, cálla.......... !
Hortensia:	¡No quiero callar.......... ! Todos hemos sido injustos ...., y no .... callaré.
	Ceferino acaba de descubrir una cosa que neutraliza los efectos de las antiguas sales.
Valentina, Emiliano, Ricardo:	¿Eh?
Hortensia:	Y que .... hará vivir años de felicidad indecible.
Ricardo:	Pero, habla, Ceferino.
Emiliano:	Este tigre de la ciencia .... da miedo.
Bremón:	¿No .... habéis amotinado muchas veces en contra mía porque no podíais
	aguantar una vida eterna?, pues quería proponer.......... una muerte a plazo fijo.
Ricardo, Valentina:	¿Una muerte a plazo fijo?
Emiliano:	¡Caray, qué proposición!
Bremón:	Pues quería eso, proponer.......... ser jóvenes y más jóvenes y al final morir.......... de niños.
Emiliano:	¿Morir.......... de niños? Se .... va la cabeza.
Bremón:	.... va la cabeza, no, Emiliano, lo que pasa es que dudas de ...., piensas que
	estoy loco como todos .... pensabais en 1920, pero venid aquí. En estos tubos de
	ensayo tengo un alcaloide, la "frigidalina", que no solamente conserva los tejidos sino
	que .... rejuvenece. ¡Ah! Sí, sí, sí, e ingiriendo esto de viejo se pasa a joven,
	de joven a adolescente, de adolescente a niño, y ya de la niñez a la muerte.
Emiliano:	¿Y .... moriremos con el chupete?
Bremón:	Sí, pero después de haber gozado de una vida hermosa y con la conciencia de una
	muerte segura, disfrutando de todo y por todo.
Ricardo:	Pero entonces ya no seríamos corazones frenados.
Emiliano:	No, ahora serían.......... corazones con marcha atrás.
Valentina:	Cinco, cinco corazones con freno y marcha atrás.
Emiliano:	No. Cuatro, porque .... harán lo que quieran, pero ...., esta vez no me tomo el mejunje.
Bremón:	Emiliano ¿.......... no? ¿por qué?
Emiliano:	Porque no, porque alguien tiene que seguir siendo inmortal para que .... cuide a
	.... cuando sean pequeñitos. Ya verán .... lo bien que ...., ... doy el biberón.
Ricardo:	Pero, ¿estás seguro de lo que dices, Ceferino?
Bremón:	¡Que sí, Ricardo, que lo he probado con los bichos del corral! A los que .... he
	dado sin haber.......... dado antes las sales, han vuelto a la infancia de un modo súbito.
Ricardo:	Pero, ¿.......... volveríamos a la niñez gradualmente?
Bremón:	¡Claro!, gradualmente. Viviríamos hacia atrás, día a día, toda la vida anterior.

Hortensia , Valentina:	¡Oh!
Ricardo:	Pues .... tomo.
Bremón:	¡Ricardo!
Ricardo:	Si... y ...., y ...., y .... todos.
Bremón:	No, no, no, no, no. Hortensia y .... no .... tomamos. Hortensia y .... no, porque tenemos que ser inmortales para ver morir a ese desgraciado de Heliodoro.
Hortensia:	¡Amor mío! Heliodoro no vivirá más de tres o cuatro años. Si tiene 103, y sin sales ...
Bremón:	¿Con esa facha? ¡No .... digas!
Ricardo:	Pero naturalmente; ¿qué más .... da?
Bremón:	No, no, no, no.
Emiliano:	¡Ya está!
Bremón:	¡Emiliano!
Emiliano:	¿Ya?
Bremón:	¿......... has tomado ...., Emiliano?
Emiliano:	No, no señor, ... he enchufado a don Heliodoro.
Todos:	¿Qué?
Emiliano:	¿No decía .... que si .... dábamos a alguien que no había ingerido antes las sales, ese alguien volvía a la niñez de inmediato?
Bremón:	Sí.
Emiliano:	Pues .... he sacudido a Atajú para que .... vuelva niño y para que no siga siendo un obstáculo entre ....
Bremón:	Gracias.
Emiliano:	Y ahí .... tengo, jugando a las canicas. ¡Ven aquí, ven aquí, ven aquí!
Todos:	¿Qué? ¡Oh!

¿LO HAS ENTENDIDO?

1 Al "frenar" se han caído los pronombres personales. Pónlos de nuevo.

2 Define cuál es el tema principal de esta escena.

3 Determina qué palabras o actitudes hacen a los personajes:

    a) Graciosos.   b) Extravagantes.   c) Solidarios.

    d) Infantiles.   e) Entusiastas.   f) Tradicionales.

4 El autor presenta situaciones absurdas y excéntricas. Entresácalas del fragmento.

5 Algunos de los recursos jardielescos para subrayar el humor son:

    a) Las exageraciones.   b) La reiteración de expresiones.

Identifícalos en el fragmento.

6 ¿Qué concepción de la vida tienen los personajes?

7 Explica el significado de la expresión Corazones frenados y el título de la obra Cuatro corazones con freno y marcha atrás.

8 Imagina, con sentido del humor, qué situaciones humorísticas se podrían producir en nuestras vidas en estos dos casos:

    a) Ser inmortales (sólo nosotros).   b) Vivir retrocediendo en años.

9 Opina a favor o en contra: "La inmortalidad nos traería la felicidad".

10 **Lista los elementos insólitos que aparecen en la decoración: vestuario, colores, calzado, peinados, etc.**

11 **¿Qué prefieres para tu ocio, el teatro o el cine?¿Por qué?**

12 **¿Y qué opinas de las obras de teatro llevadas a la pantalla?**

¡PARA NO PEGAR OJO!
¡Hay ocios y ocios!

Cada persona, en sus momentos de ocio, a través de las actividades que desarolla, intenta descansar, divertirse, evadirse,...

De todas las actividades de ocio que conoces, indica cual te parece:

la más: ◆ peligrosa ◆ absurda ◆ divertida ◆ aburrida

Describe brevemente la actividad y aporta tres razones en las que basas tu opinión.

APRIETA LOS CODOS

Gramática

Vulgarismos

Definición: Giros o palabras utilizadas por el vulgo.

Características:
- ◆ AGLUTINACIÓN Y REDUCCIÓN FONÉTICO SINTÁCTICA:
  - *Voy **pál** mercao/para el*
- ◆ ALTERACIÓN EN DIPTONGOS:
  - ***Deficencia**/deficiencia*
- ◆ METÁTESIS:
  - ◆ Simple:
  - ***Grabiel**/Gabriel*
  - ◆ Recíproca:
  - ***Tos** los personajes **me se** antojan el traidor/se me*
- ◆ REDUCCIONES LÉXICAS:

***Ná**/nada*	***Pa**/para*	***Dao**/dado*
***To**/todo*	***Enviao**/enviado*	***Trabajao**/trabajado*

- ◆ AMPLIACIÓN LÉXICA:
  - *Viniste/**vinistes***
- ◆ SIMPLIFICACIÓN DE GRUPOS CONSONÁNTICOS:
  - ***Istante**/instante*

1 Busca los errores lingüísticos y corrígelos.

A Luisa le encantan las cocretas.
La dejé sietecientas pesetas a la dependienta.
Le han transladado de celda.
Me se hace un nudo en la garganta cuando lo veo con otra mujer.
Es un trabajador muy concienciao.
La ensalada que preparastes estaba muy picante.
El pograma de este partido es muy amplio.
El pescao de anoche era fresco.
Se compró unos prismásticos cualesquiera.

2 Entresaca, corrige y clasifica los vulgarismos de este fragmento teatral de *Eloísa está debajo de un almendro* (E. Jardiel Poncela).

Joven 2: ¿Y cómo tú aquí, tan lejos de tu barrio?
Joven 1: Por ver a la Greta y a Robert Taylor. No tengo dinero pa ir cuando las echan en el centro...y yo de Taylor no me pierdo una...¡Qué tío! ¿Cómo se las arreglará pa tener el pelo tan rizao? Un dedo daba yo por tenerlo igual.
Joven 2: Pues haz lo que Manolo, el encargao del bar de Nueva York, que tenía el pelo tan liso como una foca, y en un mes se le ha puesto que parece que lleva la permanente.
Joven 1: Y ¿qué es lo que ha hecho el Manolo pa ondularse?
Joven 2: Se lo untaba bien untao con fijador y luego se tiraba de cabeza contra los cierres metálicos del establecimiento.

Perífrasis de Infinitivo

◆ **PERÍFRASIS RELATIVAS AL TÉRMINO U OBJETO DE UNA ACCIÓN:**

Dejar de: ***Deja de*** <u>moverte</u>.
Acabar de: ***Acababa de*** <u>entrar</u> *cuando sonó el teléfono.*
Quedar en: ***Quedaron en*** <u>llamarse</u>.

◆ **PERÍFRASIS QUE EXPRESAN LA REPETICIÓN DE UN MISMO ACTO:**

Volver a: ***He vuelto a*** <u>resfriarme</u>.

◆ **PERÍFRASIS QUE EXPRESAN RELATIVAMENTE UNA ACCIÓN:**

Venir a: ***Vengo a*** <u>tardar</u> *media hora en coche.*
Deber de: ***Deben de*** <u>ser</u> *las 8.*

◆ **PERÍFRASIS QUE EXPRESAN PROXIMIDAD DE UNA ACCIÓN:**

Ir a: ***Voy a*** <u>irme</u> *de viaje.*

◆ **PERÍFRASIS QUE EXPRESAN OBLIGATORIEDAD:**

Tener que: ***Tengo que*** <u>ir</u> *al podólogo.*
Deber: ***Debo*** <u>estar</u> *allí a las 14h.*
Haber que: ***Hay que*** <u>esforzarse</u> *con el subjuntivo.*
Haber de: *Esa decisión* ***hemos de*** <u>reflexionarla</u> *antes.*

1 Sustituye estas estructuras verbales por una perífrasis de infinitivo equivalente:
Echarse a / Empezar a / Ponerse a / Volver a / Romper a / Dejar de.

Estábamos en plena obra y de pronto alguien lloró desconsoladamente.
La próxima vez no compres entradas de entresuelo.
Los actores saludaron de nuevo antes de que bajara el telón.
No traigas este tipo de abrigo al cine porque abulta y no hay vestuario.
Los asistentes de pronto patearon la escena ante la estupefacción de los actores.
En cuanto le dije la verdad no me habló más.

2 Elige la forma correcta para completar la perífrasis :

◆ Le quitaron el bolso en pleno día y _____ llorar sin parar.
   a) se metió a
   b) se echó a
   c) rompió

◆ Si cambian de dueño en este establecimiento _____ venir.
   a) dejaré de
   b) terminaré de
   c) acabaré de

◆ De un tiempo a esta parte _____ gastar dos bonobuses por semana.
   a) voy a
   b) tengo
   c) vengo a

◆ Después de las entrevistas de trabajo siempre _____ llamarlo por teléfono.
   a) quedan en
   b) se ponen
   c) acaban de

◆ Últimamente _____ pensar que debería tomar la vida más relajada.
   a) se ha metido a
   b) le ha dado por
   c) vuelve a

◆ Va a sudar tinta si _____ empezar el proyecto.
   a) vuelve
   b) tiene que
   c) se lía

3 Trasforma estas frases del texto mediante perífrasis de gerundio, de infinitivo o de participio.

◆ Cualquier anécdota puede convertirse en aventura.
◆ ¿Quién no ha pasado por alguna situación de peligro?
◆ La verdad es que esto del cine tiene sus ventajas.
◆ ...te ves obligado a viajar y a cambiar de escenarios.
◆ ...nos ocurrió de todo.
◆ ...en la que me caí siete veces.

EL ASCENSOR SE PARÓ (Juan Echanove, actor)

Cualquier anécdota puede convertirse en aventura y, aunque sólo haya dos o tres Indiana Jones por ahí sueltos, ¿quién no ha pasado por alguna situación de peligro y emoción? La verdad es que esto del cine tiene sus ventajas, porque te ves obligado a viajar y a cambiar de escenarios. Durante el intenso rodaje de Viento de cólera, una película que se rodó a finales de un duro otoño en el valle navarro del Baztán, nos ocurrió de todo. Entre otras cosas, se nos despeñó un todoterreno por una enorme vaguada. Allí no había dobles; las secuencias de acción las hacíamos nosotros mismos con aquellas pintas de bestias que llevábamos. Recuerdo la escena en la que teníamos que rodar una galopada a caballo, bajando por la ladera de un monte, antorchas en ristre, para quemar unos matorrales. Una secuencia muy brutal, en la que me caí siete veces con la dichosa toma.

Pero la situación más aventurera por la que he pasado tuvo lugar en Varadero (Cuba). El caso: por culpa de unas aletas que usan los submarinistas y una corriente traidora me alejé tanto de la costa que casi me convierto en sirena. Me costó un disgusto volver a la playa, pero al final lo conseguí.

Texto de R. Marquérie. (Adaptado de *La Esfera*.)

SUPERSTICIONES, MANÍAS, GUSTOS...DE ESCRITORES FAMOSOS

- *Plinio Apuleyo Mendoza: ....La "pava", como llaman los venezolanos a este efecto maléfico que pueden tener objetos, actitudes o personas de gusto rebuscado. .... Has hecho, creo, una lista completa de objetos y cosas que tienen pava. ¿Recuerdas ahora algunas?*
- *G. García Márquez: Bueno, están las obvias, las elementales. Los caracoles detrás de la puerta...*
- *P. A. Mendoza: Los acuarios dentro de las casas ....*
- *G. García Márquez: Las flores de plástico, los pavos reales, los mantones de Manila .... La lista es muy grande.*
- *P. A. Mendoza: ¿Y personas con el mismo efecto?*
- *G. García Márquez: Existen, pero es mejor no hablar de ellas.*
- *P. A. Mendoza: Pienso lo mismo. Hay un escritor que lleva la pava adonde llega. Yo no lo menciono, porque si lo hago este libro se nos va al carajo. ¿Qué haces cuando encuentras a una persona así?*
- *G. García Márquez: La evito ....*

P.A. MENDOZA - G. GARCÍA MARQUEZ (*El olor de la guayaba.*)

LAS CUEVAS DE LOS ESCRITORES

Son sus rincones sagrados, sus reductos, sus terrenos más o menos acotados. Allí donde leen, releen, intuyen y crean. Repletos de referencias y de fuentes de inspiración. Cada uno con su luz, sus silencios y sus ruidos, sus compañías y sus soledades. Lugares de trabajo, objetos imprescindiblemente fetiches e intimidades de estos escritores españoles clásicos y modernos.

Soledad Puértolas

Su estudio parece ser el punto final del laberinto, la más oscura de las estancias. Estanterías con miles de libros parecen abalanzarse sobre el extraño que llega al rincón de la creación. Escribe por las mañanas con luz artificial. (*El flexo me crea sensación de estudio y me da intimidad; con luz natural me siento desolada.*) La escritora recrea su mundo en ordenador personal, pero la tradición no decae y dos atriles artesanales sostienen los folios y el teclado.

La última incorporación al escritorio, una brújula diminuta decorada con nombres de ciudades insospechadas. Se la regaló su hijo mayor, en su cumpleaños. (*Me hizo pensar que soy algo desorientada, que ando sin Norte.*) ... Así mismo su pluma con tinta de color azul, el color de sus recuerdos. (*Me perturba no tener mi pluma al lado.*)

Antonio Muñoz Molina

Un lugar recogido, porque así lo quiso. Recogido como él. Luz artificial para combatir las ráfagas de luz natural que golpean desde el balcón. Desde 1989 ordenador portátil. La pluma: con ella, recuperó hace dos años el placer de escribir así, y el cuaderno de tapa dura para las notas, regalo de José Luis García. Sus autores de compañía: Onetti y Faulkner. En otro de sus rincones cuelga un artículo de Juan Carlos Onetti sobre El jinete Polaco. (*El mejor premio que me han dado. El escritor que más admiro, alabando mi libro.*)

SOLEDAD PUÉRTOLAS
Burdeos

Antonio Muñoz Molina
El invierno en Lisboa

Círculo de Lectores

Textos adaptados de *El Mundo.*

PALABRAS ESCRITAS POR...

1. ¿Conoces alguna manía, superstición, lugar favorito o fetiche de algún personaje famoso? Descríbelo.

2. ¿Cuáles son los fetiches que llevas o llevarías en estas situaciones?

- Cuando vas a buscar trabajo.
- Cuando tienes una cita amorosa.
- Cuando sales de viaje.

3. Cuenta a tus compañeros alguna superstición de tu país.

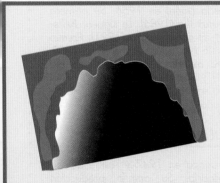

¡PARA NO PEGAR OJO!

Describe tu "cueva particular", real o imaginaria, o el rincón favorito de tu casa.

Ecos hispanos: ¡Botero, un latinoamericano entre los artistas clásicos!

La profunda filiación latinoamericana de su arte se debe también, además de al rescate de una experiencia de lo propio, a una inmersión profunda, deliberada, lúcida, en una tradición artística que el pintor ha hecho suya, sin el menor complejo, con la tranquila convicción de que al hacerlo ejercía su derecho.

Su pintura es una excepcional prueba de cómo un artista latinoamericano puede hallarse a sí mismo – y expresar, por tanto, su mundo – estableciendo un diálogo creativo con Europa, nutriéndose en sus fuentes, estudiando sus técnicas, emulando sus patrones artísticos. La condición es: no errar en cuanto a la elección de los modelos, saber llegar a las fuentes realmente genuinas de su arte y no extraviarse en el relumbrón ni renunciar frívolamente a las motivaciones íntimas ni a la experiencia propia por seguir las modas. En esto, el caso de Botero es ejemplar.

Mario Vargas Llosa. (Adaptado de El Mundo.)

1.- **Explica el sentido de las siguientes afirmaciones:**

a) La profunda filiación latinoamericana de Botero ...
b) Su arte se debe a una inmersión profunda, deliberada, lúcida, en una tradición artística.
c) Su pintura es una prueba de cómo un artista puede hallarse a sí mismo.
d) Botero, a través de su pintura, establece un diálogo creativo con Europa, nutriéndose en sus fuentes.
e) La condición es no extraviarse en el relumbrón.

2.- **¿Son las manifestaciones artísticas: pintura, escultura, etc., un itinerario muy transitado de tu tiempo de ocio?¿Por qué?¿De qué manera?**

ÍNDICE DE AUTORES

PLINIO APULEYO MENDOZA

Nació en Tunja, Colombia, en 1932. Escritor y periodista. Dirigió varias revistas en Venezuela, Colombia y Francia: **Elite y Momento, Acción liberal** y **Encuentro libre**.
Ha publicado **El Desertor** (1974) y **Años de fuga** (1979).

LAURA ESQUIVEL

Nació en México en 1950. Es guionista cinematográfica. Su primera novela, **Como agua para chocolate** (1989), ha sido traducida a varios idiomas y llevada al cine con gran éxito.

ANTONIO GALA

Nació en Córdoba en 1936. Ha cultivado todos los géneros, y de modo especial la poesía: **Enemigo íntimo** - Premio Adonais; **Testamento andaluz;** el guión televisivo: **Si las piedras hablaran;** el periodismo en El País y El Mundo. Ha obtenido sus mayores éxitos en el teatro: **Los verdes campos del Edén** (1963) - Premio Nacional Calderón de la Barca; **Los buenos días perdidos** (1972) - Premio Nacional de Literatura; **Carmen, Carmen**, musical estrenado en 1988. Sus obras han sido traducidas a las lenguas más importantes. Con su primera novela, **El manuscrito carmesí**, obtuvo el Premio Planeta 1990. En 1992 publicó **Granada de Los Nazaríes**. De sus últimas obras, **La Pasión Turca** y **Más allá del jardín** han sido llevadas al cine.

RAMÓN GÓMEZ DE LA SERNA

Cultivó casi todos los géneros literarios, y creó la greguería, que es la fusión del humorismo y la metáfora: **Greguerías** (1919), **Total de greguerías** (1955). Como biógrafo publicó **Goya** (1928), **Cinelandia** (1.923), **La Quinta de Palmyra** (1928). Su producción más característica, aparte de las greguerías reside en sus críticas de arte y en las obras de carácter libre: **Ramonismo** (1923), **Gollerías** (1926), **Lo cursi, Pombo** (1941), **Nostalgias de Madrid** (1956). Residió en Argentina desde 1936 hasta 1963, fecha de su muerte.

ENRIQUE JARDIEL PONCELA

Su obra posee una doble vertiente narrativa y dramática. **Amor se escribe sin hache** (1929), **¡Espérame en Siberia, vida mía!** (1930), **Pero... ¿hubo alguna vez once mil vírgenes?** (1931) y **La tournée de Dios** (1932). Su comicidad juega con lo surrealista y lo absurdo: por ejemplo, **Eloísa está debajo de un almendro** o **Cuatro corazones con freno y marcha atrás** (1940), y es un antecedente del teatro de Ionesco y Adamov. Entre sus farsas cómicas destacan: **Ángelina o El honor de un brigada** (1932), **Usted tiene ojos de mujer fatal** (1932), **Los**

ladrones somos gente honrada (1942). En 1961 se publicaron sus Obras completas. Murió en 1952.

MANUEL M. MARTÍNEZ LLOPIS

Su monumental obra fue galardonada en 1982 con el Premio Nacional de Gastronomía. **Historia de la Gastronomía española** (1.989) es una adaptación de su obra. Publicó también con Simone Ortega **La Cocina típica de Madrid**.

ANTONIO MUÑOZ MOLINA

Nació en Úbeda (Jaén) en 1956. Su primera novela fue **Beatus Ille** (1986). Le siguen: **Beltenebros** (1989), **El jinete polaco** (1991), Premio Planeta y Premio Nacional de Literatura 1992, **Nada del otro mundo** (1993), **El dueño del secreto** (1994) y **Ardor guerrero** (1995). Actualmente es miembro de la Real Academia de la Lengua Española.

SOLEDAD PUÉRTOLAS

Nació en Zaragoza en 1947 y reside actualmente en Madrid. Su amplia producción literaria comienza con **El bandido doblemente armado** (1980), **Burdeos** (1986), **Todos mienten** (1988), **Queda la noche** (1989) - galardonada con el Premio Planeta. Le siguen **Días de arenal** (1992) y **Si al atardecer llegara el mensajero** (1995). Tiene también dos volúmenes de cuentos: **Una enfermedad moral** (1983), **La corriente del golfo** (1993), **La vida oculta** (1993), que fue galardonada con el Premio Anagrama de ensayo. Sus libros han sido traducidos al francés, portugués, inglés y alemán.

MARIO VARGAS LLOSA

(Arequipa, 1936). Escritor peruano. Tras estudiar Letras y Derecho en la Universidad de San Marcos, en 1959 se instaló en París, donde trabajó para la radiotelevisión francesa. Su primera novela fue **La ciudad y los perros** (1963). A ésta le siguió **La casa verde** (1966), que ganó el premio venezolano Rómulo Gallegos a la mejor novela de la lengua española del último quinquenio. En Londres escribió su novela más importante, **Conversaciónes en la catedral** (1969). En 1974 apareció **Pantaleón y las visitadoras**. Su novela **La tía Julia y el escribidor** (1977) es una divertida parodia del melodrama radiofónico. Más tarde vinieron **La guerra del fin del mundo** (1981), **Historia de Mayta** (1984), **¿Quién mató a Palomino Molero?** (1986), **El hablador** (1987) y **Elogio de la madrastra** (1988) - ganadora del Premio La Sonrisa Vertical. Obtuvo el Premio Planeta 1994 por su novela **Lituma de los Andes**. En 1994 le fue concedido el Premio Cervantes. Actualmente tiene la nacionalidad española.

PRUEBA I: COMPRENSIÓN DE LECTURA

EJERCICIO SEGUNDO

José Julio Perlado, Profesor Titular de la Facultad de Ciencias de la Información, entrevista a Julio Cortázar el 24 de mayo de 1983 en el hotel madrileño en donde se hospedaba, para la revista literaria Espécula, publicada en Internet por la Universidad Complutense de Madrid.

Aquí se le ofrecen, en la **COLUMNA A**, las intervenciones del entrevistador y en la **COLUMNA B**, las respuestas que dio Julio Cortázar.

Debe relacionar cada pregunta de la columna A con su respuesta de la columna B.

A De estos ocho cuentos de su libro Deshoras, ¿qué cuento es más de su preferencia? ¿A qué cuento le tiene usted más apego, más cariño?

1 Yo creo que nadie ha definido hasta hoy un cuento de manera satisfactoria, cada escritor tiene su propia idea del cuento. En mi caso, el cuento es un relato en el que lo que interesa es una cierta tensión, una cierta capacidad de atrapar al lector y llevarlo de una manera que podemos calificar casi de fatal hacia una desembocadura, hacia un final.

B En este libro aparecen cuentos llenos de nostalgia.

2 Me gusta, siempre que puedo, que el título de alguno de los cuentos que están en el libro sirva para la totalidad. A veces se puede y a veces no. Porque ese título tiene que resumir la atmósfera general del libro, y en este caso creo que es Deshoras, con esa noción que tiene la palabra, que yo la uso un poco insólitamente en plural, porque en general se dice "llegar a deshora", por ejemplo.

C En este momento, en 1983, tras haber escrito numerosos libros de cuentos, ¿cree usted que existe actualmente una evolución en la forma de contar o bien prosigue con los caminos ya iniciados anteriormente?

3 No lo sé a ciencia cierta. Por un lado me doy cuenta de que con los años y por el hecho, quizás, de haber escrito ya tantos cuentos, estoy trabajando de una manera más seca, más sintética. Me doy cuenta al escribir que cada vez elimino más elementos, no diré de adorno, pero sí elementos de estilo que al comienzo de mi trabajo se hacían ver, se hacían sentir, y que tal vez le daban más follaje, más savia a los cuentos; algún crítico me ha señalado que estoy escribiendo de una manera muy seca, con lo que quiere decir, demasiado seca; no creo que sea demasiado.

D ¿Por qué ha escogido el título de Deshoras para este libro?

4 Tal vez para un escritor la única manera de combatir ciertas nostalgias es escribiendo y, naturalmente, la nostalgia se abre paso en el tema del cuento y en todo el cuento, pero en estos de Deshoras yo creo que hay algo más que nostalgias. Hay denuncia, hay protesta y hay combate por lo que sucede en la Argentina, es decir, un clima de opresión, un clima de miedo, de desapariciones y de asesinatos, todo eso se refleja con bastante claridad, por lo menos, en uno de los cuentos.

E ¿Qué es un cuento para usted?

5 Es difícil elegir un cuento. Puede haber un cuento que me interesa por la forma en que lo he escrito, es decir, ese combate que el escritor lucha consigo mismo para finalmente obtener algún resultado literario, pero también podría citar algún cuento en donde lo que me interesa es sobre todo la temática.

PRUEBA 2: EXPRESIÓN ESCRITA

Véase Aprieta los codos: Redacción (pág. 62).

PRUEBA 3: COMPRENSIÓN AUDITIVA

No

A continuación escuchará una grabación sobre el Horóscopo Maya: **Halack-Winik. El Semanal.** (Texto leído con acentos mexicano y uruguayo).

PREGUNTAS

1 Según la grabación, BALAM, el jaguar valiente, favorece el encuentro con un nativo del mismo signo.
a) Verdadero.
b) Falso.

2 La grabación desaconseja a los del signo KAN, la serpiente sabia, la compra de lotería secreta.
a) Verdadero.
b) Falso.

3 Según la grabación, los del signo del DZEC, el alacrán, inician una buena racha y obtendrán los beneficios de sus inversiones anteriores.
a) Verdadero.
b) Falso.

4 En la grabación se asegura un año de abundancia para los nacidos en el signo de XIBKAY, el pejelagarto.
a) Verdadero.
b) Falso.

PRUEBA 4: GRAMÁTICA Y VOCABULARIO

SECCIÓN I: TEXTO INCOMPLETO

Complete el siguiente texto eligiendo para cada uno de los huecos una de las tres opciones que se le ofrecen.

TEXTO

VIAJAR CON LOS CINCO SENTIDOS

- La Alhambra (Granada): el sonido del agua. Entre el ___1___ de sus fuentes, no sorprendería escuchar el Alá Akbar (Alá es grande) ___2___ alguno de los alminares de la ciudad nazarí. Una noche en los mismísimos jardines de la Alhambra es un ___3___, sí, pero de los que se pueden ___4___.
- Cartagena de Indias (Colombia): fruta ___5___. Casi todas las colombianas son guapachosas, algo así como salerosas. Sin este requisito no podrían ___6___ con tanto ___7___ sobre la cabeza por las playas cartageneras las enormes ___8___ con sandías, guanábanas, zapotes o nísperos.
- San Juan del Cid (Panamá): sol ___9___. Este maravilloso país ofrece pura complacencia para los cuerpos que quieren ___10___ de bronceado. Y para protegerse ___11___ los rigores del Lorenzo caribeño, nada como un sombrero panamá de San Juan del Cid. Suaves y resistentes, ___12___ ideales para coronar un traje de lino o una guayabera.
- Chichicastenango (Guatemala): hacer la compra. Dos veces por semana, jueves y domingo, el mercado de Chichicastenango ___13___ de cabeza a los maxeños – los habitantes de esta ciudad - y a toda la parroquia de indígenas de los alrededores. Flores, verduras, tejidos y mercaderías de toda naturaleza se hacen como pueden un ___14___ en el suelo, en un fascinante ___15___ multiolor y multicolor. Si no ___16___ bastante con este mercado, Kuoni Giras organiza un recorrido por los mercados guatemaltecos más auténticos.
- Glaciar Perito Moreno (Argentina): ___17___ el frío. ___18___ no has tenido bastante con la que ___19___ este invierno, en la Patagonia el Perito Moreno levanta sobre las aguas del lago Argentino una ___20___ de hielo de hasta 90 m.

Texto de A. Morales (Adaptado de *Elle*.)

OPCIONES

1
a) murmullo
b) grito
c) runrún

2
a) desde
b) de
c) para

3
a) somnolencia
b) sueño
c) modorra

4
a) realizar
b) practicar
c) producir

5
a) salvaje
b) agreste
c) primitivo

6
a) llevar
b) acarrear
c) remolcar

7
a) apostura
b) rumbo
c) garbo

8
a) fuentes
b) cajas
c) platos

9
a) hirviente
b) ardiente
c) ardoroso

10
a) presumir
b) ostentar
c) pavonearse

11   a) bajo   13   a) trae   15   a) embrollo   17   a) mira   19   a) ha sobrevenido
    b) por   b) conduce   b) enredo   b) medita   b) ha llegado
    c) de   c) guía   c) revoltijo   c) contempla   c) ha caído

12   a) fueron   14   a) hueco   16   a) tendrías   18   a) Si   20   a) muralla
    b) son   b) depresión   b) tuvieras   b) En el caso de que   b) cercado
    c) sean   c) grieta   c) tengas   c) A condición de que   c) defensa

PRUEBA 4: GRAMÁTICA Y VOCABULARIO

SECCIÓN 2: SELECCIÓN MÚLTIPLE

Complete las frases siguientes con el término adecuado de los dos o cuatro que se ofrecen.

1   No soportaba que se ___pasara___ horas sin decir palabra.
    a) pase
    b) pasara
    c) pasará
    d) pasaría

2   ___Entre___ ellos nunca se toca ese tema.
    a) Tras
    b) Bajo
    c) De
    d) Entre

3   Al salir en este anuncio se cortó su carrera ___en___ el mundo del cine.
    a) desde
    b) sin
    c) por
    d) en

4   Cuanto más grande es el lío, mejor se lo ___pasa___.
    a) pasará
    b) ha pasado
    c) pasa
    d) habrá pasado

5   ___Como___ no cobraba la pensión fue a reclamar.
    a) Al
    b) Como

6   Nadie ha visto que se ___enfadara___ de forma tan violenta.
    a) enfadara
    b) enfada

7   ___Debe de___ ser poco realista para creerse esa historia.
    a) Debe
    b) Debe de

8   Es probable que ___lleguemos___ de madrugada.
    a) lleguemos
    b) llegaremos

9   ___Le La___ fastidió que no se la consultara para el nuevo proyecto.
    a) le
    b) la

10   Cuando les ___hayan dado___ más oportunidades las sabrán aprovechar.
    a) hayan dado
    b) habrán dado

SECCIÓN 3: DETECCIÓN DE ERRORES

A continuación le presentamos dos textos. En ellos, debe Vd. detectar un total de cinco errores. Estos errores se han distribuido al azar, de manera que puede haber, por ejemplo, 4 en el primer texto y uno en el segundo; o 2 en el primero y 3 en el segundo.

El Ocio ocupa por las sociedades modernas un lugar cada día más preponderante. La creciente tecnificación de las actividades productivas, haya facilitado un mayor disponibilidad del tiempo libre y el acercamiento hacia los pueblos.

El	Ocio	ocupa	por	las	sociedades	modernas	un	lugar	cada	día	más
1	2	3	4	5	6	7	8	9	10	11	12

[nota manuscrita: en / para]

preponderante.	La	creciente	tecnificación	de	las	actividades	productivas,
13	14	15	16	17	18	19	20

[nota manuscrita: availability]

haya	facilitado	una	mayor	disponibilidad	del	tiempo	libre	y	el
21	22	23	24	25	26	27	28	29	30

[nota manuscrita: rapprochement]

acercamiento	hacia	los	pueblos.
31	32	33	34

El tiempo libre constituirá hoy una nueva forma de relación del hombre consigo misma y con el mundo que le rodea.

S.S.M.M. Don Juan Carlos I, Presidente de Honor de Expo Ocio.

El	tiempo	libre	constituirá	hoy	una	nueva	forma	de	relación
35	36	37	38	39	40	41	42	43	44

[nota manuscrita: constituye]

del	hombre	consigo	misma	y	con	el	mundo	que	le	rodea.
45	46	47	48	49	50	51	52	53	54	55

[nota manuscrita: mismo]

sumario   pág.

GEA HABLEMOS DE...

La Ecología

LAS MEDIAS VERDADES DEL ECOLOGISMO

ALTERNATIVAS ECOLÓGICAS A LOS PROBLEMAS MEDIOAMBIENTALES

¿Quién se atreve hoy a decir que no es ecologista? Conducimo un coche que usa gasolina sin plomo, compramos detergente si fosfatos, aerosoles sin CFCs, pilas sin mercurio y papel reciclado Pero, ¿estamos realmente protegiendo así nuestro medio ambiente En nombre de la ecología se cometen muchas aberraciones, per no por ello debemos olvidar que el ecologismo sigue proponiendo las más racionales alternativas de vida.

EL TIMO VERDE

La reciente preocupación social por el medio ambiente se ha convertido en un filón para numerosas empresas, que se aprovechan de nuestra falta de información para vendernos productos que sólo son verdes en apariencia.

Tan lejos han llegado estas iniciativas que la organización Amigos de la Tierra ha instituido el premio Timo Verde del año, concedido recientemente a una central nuclear que aseguraba en su publicidad que no sólo producía la energía más limpia del planeta, sino que contribuía a conservar el medio ambiente.

EL RECICLADO

Otro concepto de moda es el reciclaje. Un caso elocuente es el del papel: la obtención de 800 Kilos de pasta desentintada genera 600 Kilos de lodos muy tóxicos, que también requieren tratamiento.

A pesar de que reciclar exige una mayor inversión, a largo plazo se consigue no sólo evitar el deterioro medioambiental sino un gran ahorro en materias primas y energía.

El reciclado requiere una separación previa de los distintos materiales presentes en los residuos. Pero si éstos han sido introducidos de forma indiscriminada en la basura, las posibilidades técnicas de reaprovecharlos son limitadas.

LAS PILAS

Las pilas recargables son contaminantes, pero pueden ser utilizadas hasta 500 veces, lo que las convierte en las más convenientes. Las pilas secas de zinc - carbón también son una alternativa adecuada.

Según Greenpeace, los aparatos a pilas son mucho más derrochadores que los de enchufe: "La corriente generada por una pila es 450 veces más cara que la generada por la red eléctrica; un kilovatio - hora cuesta 5.000 ptas. usando pilas, frente a las 11 ptas. que cuesta vía red." La elección más ecológica y más radical sería no adquirir aparatos que funcionen con pilas.

Sólo se reciclan las pilas de tipo botón y las que llevan marcas como: "recargable" y "Ni - CA". Las pilas alcalinas, aunque indiquen un 0% de mercurio, contienen realmente un 0,5%, y las pilas botón contienen hasta un 30% de mercurio.

LAS PIELES SINTÉTICAS

Un abrigo de piel de zorro se ha convertido para muchos en un atentado contra la naturaleza. Como consecuencia, las pieles sintéticas son ya una punta de lanza en la lucha medioambiental.

¿Son realmente inocuas las prendas sintéticas? No, porque sus fibras se elaboran con un tejido llamado dralón, éste genera diversos residuos tóxicos, especialmente ácido cianhídrico, cuya sal, el cianuro, es un potente veneno que se disuelve fácilmente en agua.

Si rechazamos las pieles, deberíamos ser consecuentes en todo aquello que concierne a la salud de los animales, y no olvidarnos que el cuero sigue saliendo de las vacas, y que para que los huevos sean más baratos tenemos a las gallinas hacinadas en jaulas.

EL ECOTURISMO

La "fiebre verde" y el desarrollo económico de los países occidentales han creado el ecoturista. ¿Sirve el Turismo Verde para proteger la naturaleza? No, ya que la masificación puede causar graves problemas en la flora y en la fauna. Ya se encuentra basura en muchos lugares hasta ahora vírgenes como en el Himalaya, la fauna es perseguida y fotografiada con todo-terrenos o lanchas que, a menudo, inflingen heridas a los animales, y los monos de Gibraltar padecen problemas gastrointestinales, debido a las golosinas que les dan los turistas.

El turista respetuoso debe viajar a pie por estas zonas, porque así le impedirá llevar basuras a lugares protegidos, y debe rechazar las agencias que organicen viajes que puedan alterar el equilibrio de los ecosistemas.

PLÁSTICOS BIODEGRADABLES

¿Es mejor utilizar los llamados plásticos biodegradables o fotodegradables? Sí, siempre que tengamos en cuenta que el fotodegradable no se degrada en interiores, ni enterrado en vertederos, y que actualmente el plástico no supera el 10% de componentes biodegradables, que es como si no tuviese nada.

Lo más aconsejable es reducir el consumo de plástico, que supone un 11% de nuestra basura, hasta que se consiga hacerlo degradable al 100%.

Esta condición de biodegradable debe ser indispensable en los detergentes y productos de limpieza que derivan, a través de los servicios de canalización, en ríos, lagos y mares. La acumulación excesiva de estos residuos resulta tóxica para la vida que se desarrolla en las aguas y altera de forma irreversible el equilibrio de los ecosistemas.

TEXTO ADAPTADO DE *QUO*.
Las medias verdades del ecologismo.

Texto leído con acento catalán

¿Lo has entendido?

1
Indica la opción correcta, según el texto:

1.1 Una de las características del ecologista de nuestros días es:
- A Comprar detergentes sin fosfatos.
- B Rechazar el uso del automóvil.
- C Realizar viajes a lugares protegidos.

1.2 La comercialización de falsos productos verdes se debe a:
- A Las iniciativas de la organización Amigos de la Tierra.
- B La reciente preocupación social por el medio ambiente.
- C El aumento de nuestro grado de información.

1.3 Las ventajas del reciclado, a largo plazo, son:
- A Descenso del nivel de ruido.
- B Ahorro de materias primas y energía.
- C Reducción de la inversión en el tratamiento de la basura.

1.4 La energía consumida por los aparatos a pilas es:
- A 250 veces más cara.
- B 350 veces más cara.
- C 450 veces más cara.

1.5 Las pieles sintéticas:
- A Son una alternativa, totalmente inocua, a las pieles de animales.
- B Generan residuos tóxicos muy venenosos.
- C Impiden el sacrificio de las vacas.

1.6 Los problemas del ecoturismo derivan de:
- A El desarrollo económico de los países occidentales.
- B La falta de señalización de los lugares protegidos.
- C La masificación.

1.7 Un residuo fotodegradable se destruye al:
- A Estar en contacto permanente con el agua.
- B Estar enterrado junto a otros residuos tóxicos.
- C Estar al aire libre y en contacto con la luz del sol.

3
A partir del texto identifica y clasifica las palabras relacionadas semánticamente con:

NATURALEZA
-
-
-
-
-

INDUSTRIA
-
-
-
-
-

2
Relaciona estas ideas con los aspectos positivos y negativos de cada uno de los apartados del texto:

- **A** Este proceso proporciona gran ahorro en materias primas y energía.
- **B** Preocupación social por el medio ambiente.
- **C** Los aparatos de enchufe gastan menos.
- **D** Los ecoturistas deberían rechazar las agencias que organicen viajes que puedan alterar el equilibrio de los ecosistemas.
- **E** Contienen un porcentaje muy bajo de componentes degradables.
- **F** Esas prendas son una punta de lanza en la lucha medioambiental.
- **G** Muchos productos sólo son verdes en apariencia.
- **H** Produce un potente veneno que se disuelve en el agua.
- **I** Hace menos tóxicos a los detergentes.
- **J** Las pilas recargables pueden ser reutilizadas hasta 500 veces.
- **K** Aparición de basura en lugares hasta ahora vírgenes.
- **L** La pasta desentintada genera lodos muy tóxicos.

ASPECTOS

	POSITIVOS	NEGATIVOS
EL TIMO VERDE		
EL RECICLADO		
LAS PILAS		
LAS PIELES		
EL ECOTURISMO		
PLÁSTICOS DEGRADABLES		

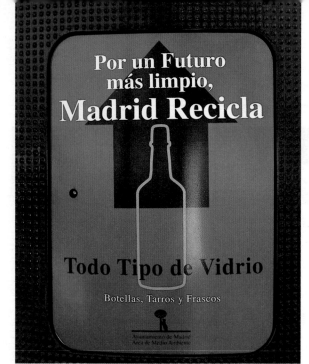

Por un Futuro más limpio,
Madrid Recicla

Todo Tipo de Vidrio

Botellas, Tarros y Frascos

Ayuntamiento de Madrid
Área de Medio Ambiente

---

4 Completa las frases utilizando estos términos:

DESECHOS-DEGRADAR/SE-RESIDUOS-SOBRAS-DESPERDICI

■ **1.** Cada vez más, nuestra sociedad se plantea la difícil situación de la eliminación de _____ tóxicos.

■ **2.** Echaba las _____ de las comidas a los gatos del barrio.

■ **3.** La falta de conciencia sobre el medio ambiente hace que _____ la fauna y la flora.

■ **4.** Existen animales para el consumo humano que no tienen _____, como por ejemplo el cerdo.

■ **5.** En las ciudades y pueblos se arrojan _____ en los vertederos municipales.

■ **6.** El director le _____ a un puesto inferior.

---

5 PROFUNDIZA

5.1 Define la imagen del ecologista a través de sus objetos cotidianos:

A ¿Qué lleva?
B ¿Qué se pone?
C ¿Cómo se traslada?

Ejemplo: *Lleva una mochila de tela de algodón.*

5.2 ¿Cómo se podría decir de otro modo "productos verdes sólo en apariencia"?
Enumera tres ejemplos de productos verdes sólo en apariencia utilizando los siguientes verbos:

Aparecer - Parecerse a - Parecer

Ejemplo: *Una central nuclear pintada de verde se parece a un lobo vestido de oveja.*

5.3 *Empaquetar* es envolver algo. *Meter un paquete* a alguien, y *Cargar con el paquete,* ¿son iguales?
Indica cuatro situaciones en las que las utilizarías.

5.4 La "fiebre verde" es, irónicamente hablando, una preocupación intensa por el ecologismo. Di qué se entiende por:

A fiebre del oro
B fiebre amarilla
C fiebre palúdica
D fiebre consumista

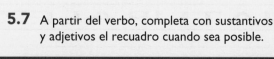

THE EARTHWORKS GROUP
50
COSAS SIMPLES QUE LOS
NIÑOS
PUEDEN HACER PARA
SALVAR LA
TIERRA

5.5 Define qué es:
A una lancha
B una barca
C una canoa
D una piragua

5.6 Los monos de Gibraltar son célebres en la Península Ibérica, di qué otros animales conoces que estén protegidos por su peligro de extinción y sean un símbolo.
Ejemplo: *El oso panda, en China.*

5.7 A partir del verbo, completa con sustantivos y adjetivos el recuadro cuando sea posible.

VERBO	SUSTANTIVO	ADJETIVO
INFLIGIR		
SUPONER		
RECICLAR		
DERROCHAR		
EMPAQUETAR		
CONCERNIR		
IMPEDIR		
PERSEGUIR		
REQUERIR		

EL CAFETÍN

Tema: La contaminación de nuestro cuerpo: Fumar o no Fumar. 60 minutos

1 Preparación previa: en función de la postura individual sobre el tema se localizarán documentos o datos (Prensa, bibliotecas, organismos sanitarios...) que nos permitan defenderla con rigurosidad en el debate posterior. 30 minutos
Puede servir como guía de búsqueda de información el siguiente esquema:

A FAVOR	ASPECTOS DEL TEMA	EN CONTRA
Informes comparativos de Philip Morris Europe S.A.	Informes Médicos: Salud física	Principales efectos.
Dependencia voluntaria.	Una Droga: Salud mental.	Convierte en esclavo.
Comparar: bebidas, accidentes de tráfico.	Estadísticas de mortalidad.	El cáncer de pulmón.
Contaminación de los coches y fábricas.	Respeto a los demás: "Los fumadores pasivos".	La salud de los niños (embarazo, casa, lugares públicos,...).
Producto natural del campo.	Negocio Multinacional.	Negocio a costa de la salud.
Promoción del deporte.	Difusión Publicitaria.	Incita al consumo de una droga.
	...	

2 El debate, moderado por el profesor, se planteará en torno a estas dos preguntas:
¿El tabaco es una droga?
¿Cómo hacer compatibles los derechos de los fumadores y los no fumadores?

Utilizar los siguientes recursos lingüísticos para:

3 A. Reconocer la parte de razón que tenga el adversario.
- Admito que en lo que ha dicho...
- Puedo aceptar que ..., pero es una razón insuficiente.
- Es innegable que ..., aunque se olvida que...
B. Presentar hechos probatorios y ejemplos.
- No hay que olvidar que...
- Hay que subrayar que...
- Hay que insistir sobre el hecho de que...
- Como demuestra la existencia de...
- Los datos sobre .... no dejan lugar a la duda.
- Consideremos, por ejemplo, el caso de...
C. Aportar opiniones expresadas por personas solventes o interrogaciones que provoquen la adhesión de los que nos escuchan.
- Según las conclusiones de los expertos...
- Como quedó demostrado ya por...
- Así opinan tanto ... como...
D. Presentar la conclusión.
- Podemos determinar que...
- Como consecuencia de lo dicho, se desprende que...
- En conclusión...

¡Para no pegar ojo...!

Los últimos trashumantes

En España, durante siglos, los más de cien mil kilómetros de cañadas, cordeles y veredas que serpentean a lo largo y ancho de nuestra geografía se han visto animados por el trasiego de millones de cabezas de ganado que se desplazaban entre los agostaderos y las áreas de invernada a la búsqueda de mejores pastos. Pero, desafortunadamente, este ancestral nomadeo pastoril ha caído en desuso y, en la actualidad, corre el peligro de desaparecer como tantas otras actividades tradicionales. Rescatar las cañadas del olvido puede servir para garantizar la conservación de un sistema tradicional de manejo del ganado y de unos paisajes y ecosistemas únicos en Europa.
Las cañadas cruzan muchas ciudades españolas. Madrid ha sido testigo del paso de las merinas en los dos últimos años. Ovejas, caballerías, pastores y mastines transforman la fisonomía urbana de la capital por unas horas.

Texto adaptado. José Manuel Rayero.

Apoyándote en el texto, di qué actividad tradicional de tu país, en vía de desaparición, rescatarías. Justifica tu preferencia. Para llevar a cabo este ejercicio sigue estas recomendaciones:

1. Presentar el tema con una introducción, que debe ser clara, concisa y lo más objetiva posible, y aportar razones para sustentar una opinión. Seguir un plan rigurosamente organizado.
2. Estudiar los pros y los contras a partir de expresiones de posibilidad, convicción, juicio...
El escrito debe constar al menos de tres ideas principales.
3. Incluir "argumentos de autoridad": Referencias, citas, opiniones autorizadas, para aportar variedad en los puntos de vista.
4. Conclusión. Resumir la opinión sobre el tema.

Aprieta los codos

Escrito Expositivo

Definición: Su objetivo es dar a conocer una información y seguidamente argumentar sobre el tema, es decir, dar razones para apoyar o rebatir las ideas expuestas.

Pautas:

◆ Se sigue una ordenación clara y coherente.

◆ Se define de forma concisa el tema central.

◆ La exposición de dicho tema consta de la aportación de datos o ejemplos, dispuestos según un orden espacial, cronológico o de importancia.

◆ En la conclusión se corrobora la idea principal.

Características Lingüísticas:

Incisos aclaratorios, oraciones adversativas, subordinadas sustantivas...

El agua nos pasa factura

El drama no sólo afecta a la cantidad. Según la OMS (Organización Mundial de la Salud), más de 1.000 millones de personas no tienen acceso a aguas limpias, mientras que casi 2.000 millones viven sin saneamiento adecuado. En el fondo, aseguran los expertos, el número de tomas de agua de una población es un índice de salud más preciso que el de camas de un hospital. Una enfermedad ancestral como el cólera ha cobrado en los últimos tiempos una intensidad desconocida, amparada en los cursos insalubres que cruzan paisajes de extrema pobreza. Las cifras de mortandad ligadas a la ingestión de este "veneno" enmascarado ponen los pelos de punta: casi diez millones de muertes anuales. Sólo las diarreas matan cada año a cuatro millones de niños.

Las frías estadísticas muestran la botella medio vacía. Nos hemos arrimado a ella y bebido a grandes sorbos, sin respirar y sin darle respiro, creciendo sin dejarla crecer, apurándola y ensuciándola. Echarle la culpa de la escasez al tan mentado cambio climático parece una ingenuidad.

Texto adaptado de *GEO*

DELE superior

PRUEBA DE PREPARACIÓN AL DELE. EXPRESIÓN ESCRITA. REDACCIÓN.

◆ Escribe una redacción de 150-200 palabras (15-20 líneas).

El panorama de los daños ocasionados por el hombre a la naturaleza es muy triste, pero hay que ser optimistas. Tan sólo es necesario realizar pequeños esfuerzos y cambiar algunos aspectos de nuestra vida cotidiana, porque afortunadamente, la mayoría de los daños causados hoy son todavía reversibles, pero requieren el esfuerzo y la colaboración de todos.

Texto adaptado de *Ecología*

Expresa tu opinión sobre la anterior afirmación por medio de un escrito que contenga:

◆ Las razones en que se basa.
◆ Algunos datos o ejemplos concretos que apoyen tu punto de vista.
◆ Una breve conclusión.

Oraciones de Relativo (o Adjetivas)

- ◆ Son proposiciones que modifican a un elemento de otra oración, generalmente un nombre o un pronombre (antecedente).

     Se compró el coche que más ventajas ecológicas tenía.
     <u>Antecedente</u>

- ◆ Siempre se sitúan detrás del antecedente.

- ◆ NEXOS:

PRONOMBRES RELATIVOS			Antecedente + Pronombre R. + Verbo
	SINGULAR	PLURAL	
QUE	Que	Que	Éste es **el cuadro del que** te hablé.
QUIEN	Quien	Quienes	**A Don Quijote, a quien** todos **conocen,** lo creó Cervantes.
CUAL	El/la/lo cual	Los/las cuales	**El río cuyo** cauce **se desvíe** modificará un ecosistema.
CUYO	Cuyo/a	Cuyos/as	Les comunicó **la razón por la cual** les **había mentido.**

ADVERBIOS RELATIVOS		O. Principal + Adverbio R. + Verbo
	SIGNIFICADO	
DONDE	En el lugar que	No se debería cazar **donde** habiten especies protegidas.
COMO	De la manera que	Lo terminó **como** pudo.
CUANTO	Todo lo que	Se aceptará **cuanto** ayude a salvar la capa de ozono.
CUANDO	En el tiempo en que	Eran mejor los veranos **cuando** éramos pequeños.

- ◆ MODOS:

INDICATIVO	SUBJUNTIVO
Antecedente: Explícito, específico, conocido, determinado.	Antecedente: Implícito, no específico, desconocido, ignorado, no determinado.
• África aún cuenta con extensiones **que** el hombre **no ha logrado** esquilmar. • El cultivo del plátano obliga a la tala de bosques, lo **que supone** un grave peligro para el medio ambiente. • De cada cinco pesetas **que se gasta** un ayuntamiento, una se dedica a solucionar el problema de la basura. • Utiliza los contenedores y consulta el lugar **donde puedes** dejar los materiales tóxicos.	• No existen extensiones **que** el hombre **no haya** logrado esquilmar. • Está prohibido el cultivo **que suponga** un peligro para el medio ambiente. • De cada cinco pesetas **que se gaste** el Ayuntamiento, dedicará una a solucionar el problema de la basura. • Utiliza los contenedores y consulta el lugar **donde puedas** dejar los materiales tóxicos.

Oraciones Adverbiales con Subjuntivo

- ◆ **ORACIONES O PROPOSICIONES FINALES**

  - ◆ Nexos finales:
    A que, a fin de que, para que, con el propósito de que, por que, de suerte que, etc.

       *Venimos a **que veas** al niño.*

    Que / no sea que / no fuera que.

       *Convocad la rueda de prensa, **que se aclare** el asunto.*

No vaya a ser que / No fuera a ser que.

> *Conduce tú, **no vaya a ser que** tengamos un accidente.*

◆ No hay que olvidar que cuando la oración principal y la final tienen el mismo sujeto se usan los nexos **a**, **para**, **a fin de**, etc. + **infinitivo**.

> *Va al puerto **para embarcar**.*

◆ ORACIONES O PROPOSICIONES CONDICIONALES

> Proposición principal + Proposición subordinada
> (Apódosis)   (Prótasis)

◆ Nexos condicionales:

> **A menos que, como, con tal que, excepto que, salvo que, siempre que,** etc.

> ***Con tal que** vigile la salida es suficiente.*

◆ Gerundios introductores:

> ***Suponiendo que** no lo sepa, se lo recordaremos.*

◆ **Como si, igual que si, lo mismo que si, cual si,** con un matiz de comparación:

> *Le hablaré de ti **como si** fueras mi hermana.*

◆ **Si** + Imperfecto o Pluscuamperfecto de Subjuntivo + Potencial compuesto o simple:

> ***Si hubieras debatido** la cuestión, no **habríamos llegado** a ese extremo.*

◆ Las proposiciones condicionales con **si, salvo si, aun si** llevan indicativo cuando la realización de la prótasis es real:

> *No se lo concederá, **salvo si** insiste.*

---

1   Emplea la forma verbal adecuada.

◆ Hoy puedes salir cuanto te *(apetecer)* _____.

◆ Nunca se lo dirá a quienes no le *(hacer caso)* _____.

◆ A cualquiera que se lo *(decir)* _____ se quedará boquiabierto.

◆ Quienquiera que *(él, ser)* _____ es un verdadero modelo para imitar.

◆ De cualquier modo que lo *(intentar)* _____, no lo conseguirás.

◆ Quien mucho (abarcar) _____ poco *(apretar)* _____.

◆ No acudió nadie que *(responder)* _____ a ese perfil.

◆ ¿Cuál es el cuadro más extraño que (ver) _____?

◆ El que *(estar)* _____ perdiendo, que se marche.

◆ Conozco un restaurante cuyos guisos *(estar)* _____ para chuparse los dedos.

◆ No contestéis a cualquiera que os *(llamar)* _____ la atención.

◆ Dentro de unos instantes, aparecerá quien menos *(esperártelo)* _____ .

2 Explica la diferencia semántica de estos pares de frases.

◆ Haré lo que me pides.
◆ Haré lo que me pidas.

◆ El que ahorra, no pasa apuros.
◆ El que ahorre, no pasará apuros.

◆ Está donde le ha cogido la avalancha.
◆ Estará donde le haya cogido la avalancha.

◆ No creas cuanto te cuentan.
◆ No creas cuanto te cuenten.

◆ ¿Cuándo publicarás el libro?
◆ Cuando publiques el libro, avísame.

3 Pon los infinitivos entre paréntesis en la forma verbal adecuada.

... Si (haber) _____ que establecer un cierto balance, yo (decir) _____ que lo conseguido en Río - 92 justificó los esfuerzos. Y permitió que de cara al futuro (nosotros, abrigar) _____ más esperanzas que antes del encuentro. Aunque tampoco (haber) _____ que echar las campanas al vuelo, sobre todo si (nosotros, tener) _____ en cuenta lo no mucho que se ha venido realizando en 1993 y 1994.

Para empezar, la "Declaración de Río", o si se (preferir) _____ más ambiciosamente, la "Carta de la Tierra", no fue, desde luego, una impresionante mejora respecto de los principios de Estocolmo - 72. Pero sí que significó, con claridad, una toma de conciencia de que el deterioro ambiental exigía medidas de más envergadura; y coordinadas y solidarias, para que todo no (quedar) _____ en mala literatura.

Por encima de todo, quedó el problema de la aplicación de las decisiones, en un mundo en el que todos (denunciar) _____, pero después casi nadie (admitir) _____ ser investigado.

Pero, a mayor o menor plazo, nadie (quedar) _____ al margen de las responsabilidades que (haber) _____ de irse definiendo en las previstas - ya algunas formuladas - convenciones sobre bosques, desertificación, océanos, etc.

Texto de R. Tamames. (Adaptado de *Se acaba el tiempo para salvar la Tierra.*)

4 Forma frases a partir de estos nexos.

◆ Con objeto de que ...
◆ No sea que ...
◆ Siempre que ...
◆ A no ser que ...

◆ Con la finalidad de que ...
◆ Como si ...
◆ Mientras ...
◆ A que ...

1

¿Qué puedo hacer yo? Si tienes interés en saber cómo mejorar el medio ambiente, busca ideas para dar un toque ecológico a tu vida cotidiana. Da al menos tres sugerencias para cada producto.

Ejemplo:
¿Qué harías con un envase de un producto de limpieza?:
a) Un florero.
b) Un pulverizador para refrescarse en la piscina.
c) Una lámpara con tu marca de desengrasante favorito.

1.1 ... cajones de fruta de madera desechados?
A _____
B _____
C _____

1.2 ... envases de tetra-brik?
A _____
B _____
C _____

1.3 ... periódicos o fotocopias usadas?
A _____
B _____
C _____

1.4 ... prendas de vestir pasadas de moda?
A _____
B _____
C _____

1.5 ... latas de conservas o de bebidas?
A _____
B _____
C _____

2

TEST DE CULTURA ECOLÓGICA

1 Di cuál de las tres afirmaciones siguientes es correcta:
a) Las selvas húmedas son el hogar del 70 al 90% de las especies de plantas.
b) El hombre ya ha quemado el 50% de las selvas tropicales.
c) Han de pasar 30 años después de un incendio para que el bosque vuelva a su normalidad.

2 La lluvia ácida, cuya causa primaria es la emisión de gases tóxicos de la industria y el dióxido de carbono de los automóviles, destruye fundamentalmente:
a) los árboles y los cultivos en general,
b) la salud humana,
c) los lagos y los ríos.

3 Se calcula que existen 500 millones de vehículos de gasolina, y la tendencia para el año 2030 los cifra en 1000 millones. Esto implica:
a) crecimiento del número de enfermedades,
b) anulación del esfuerzo para controlar el calentamiento de la tierra,
c) ascenso de la mortalidad.

4 El "impuesto verde", que multa a las empresas responsables de la contaminación, ha sido creado para:
a) gravar a las empresas que emiten dióxido de carbono,
b) usar como licencia para contaminar,
c) pagar para limpiar ahora, y no pagar mucho más después.

5 ¿Cuál de los siguientes síntomas confirman que se vive en una zona de alto nivel de contaminación?
a) Irritaciones oculares.
b) Problemas pulmonares y respiratorios.
c) Dolores de cabeza.

6 ¿Qué afirmaciones sobre el agua son correctas?
a) Tres de cada cuatro ciudadanos del planeta disponen sólo de 50 litros de agua al día.
b) El mínimo necesario para una calidad de vida razonable se estima en 80 litros al día.
c) En España, el consumo medio diario por persona alcanza los 300 litros.

NOTA: Si no ha detectado que todas las respuestas son verdaderas, necesita una revisión de su sentido de la realidad ecológica del planeta Tierra. Acuda con urgencia a su consultorio "verde" más próximo.

3

Completa las frases con las siguientes expresiones:

A. NO VER TRES EN UN BURRO.
B. PAGAR EL PATO.
C. SER CUATRO GATOS.
D. SER LA OVEJA NEGRA.
E. SER GANSO.
F. SER UN LINCE.
G. DORMIR COMO UN LIRÓN.
H. ESTAR COMO UN PATO MAREADO.
I. ESTAR PEZ.
J. BUSCAR TRES PIES AL GATO.
K. COGER EL TORO POR LOS CUERNOS.
L. COMER COMO UNA LIMA.

1. En la fiesta (nosotros)......
2. Por la afiliación política de su familia ......
3. No siempre hay que ......
4. Cuando cae en la cama ......
5. En el examen de filosofía ......
6. ¡Pobrecito! siempre le toca ......
7. En los negocios, Luis ......
8. Deberías acercarte al oculista, ...
9. A pesar de no estar a la altura, ... y salió airoso.
10. ¡Qué ......, no para de contar chistes!
11. No te quedes ahí, ... y vas a tropezar con todo el mundo.
12. Por la depresión que sufre, últimamente ......

LA ECOLOGÍA
Esquema Histórico

1.869 Ecología proviene del término *oikos*, que significa lugar o casa. Fue creada por el científico alemán Ernest Haeckel para definir una ciencia cuyos principios se basan en la lucha contra la degradación del medio ambiente.

1.960 El movimiento ecologista surge a finales de estos años como reacción frente a la agresión generalizada por parte de las sociedades occidentales de un desarrollo industrial sin límites. No se duda en sacrificar bosques, ríos, o cualquier otra riqueza natural con tal de aumentar los ingresos del país.

1.968 Se crea ADENA. Dentro del movimiento "verde", se distinguen dos tendencias, los conservacionistas que trabajan por la conservación del entorno, pero sin implicación política ni social, caso de ADENA, y los ecologistas que buscan concienciar y denunciar las agresiones a la naturaleza por vía política y social. *Greenpeace* hoy es la principal de estas organizaciones.

1.972 Empezó a funcionar el primer grupo de *Greenpeace* en Vancouver (Canadá) contra las pruebas nucleares que realizaban los norteamericanos. *Greenpeace* está integrada por grupos ecologistas de 13 países cuyo método es la resistencia pacífica. A bordo de sus emblemáticos barcos han realizado campañas para salvar las ballenas, las focas, y han luchado activamente contra los vertidos de desechos radioactivos en océanos.

1.976 En España, estos grupos surgieron prácticamente al mismo tiempo que en el resto de los países occidentales, con la diferencia de que hasta esta fecha su actividad estuvo frenada por la dictadura del franquismo.

1.977 En Francia fue la primera vez que el partido ecologista se presentó a unas elecciones. Meses más tarde, lo hicieron también en Alemania. En estas primeras participaciones tuvieron un éxito limitado.

1.983 Los ecologistas alemanes obtuvieron 27 escaños en el Parlamento de Bonn, con el 5,6% de los votos.

1.984 En España se legalizó el partido de Los Verdes, pero, hasta hoy, nunca ha cosechado un éxito electoral.

1.992 En la cumbre de Río de Janeiro se llegó al acuerdo internacional entre los países asistentes para reducir progresivamente la emisión de gases CFCs, causantes del deterioro de la capa de ozono.

1.995 Hoy los problemas sobre medio ambiente que más inquietan a los ciudadanos españoles son: la contaminación atmosférica (41%), la deforestación e incendios (38%) y la sequía (21%).

1.996 Actualmente existen en España unas 4.000 empresas dedicadas a la elaboración de productos ecológicos: limpiadores para el hogar, alimentos biológicos, detergentes, reciclado de cristal, cartón, etc. ... Estos productos son reciclables, no tóxicos y tienen un bajo coste ambiental.

La ecología se vive hoy en España como una serie de nuevos valores con tintes conservacionistas donde predomina la vuelta a la naturaleza aceptándose el progreso, pero no a cualquier precio.

Texto de A. Pérez Henares y C. Malo de Molina. (Adaptado de *Así será España en 1996*.)

LOS ORÍGENES DE LA CONSERVACIÓN DE LA NATURALEZA EN ESPAÑA

La protección de espacios naturales bajo fórmulas como la de Parque Nacional y otras relacionadas es seguramente el aspecto que mejor ha identificado el conjunto de actividades y planteamientos que llamamos conservación de la Naturaleza.

Su primer hito fue la creación en 1872 del Parque Nacional de Yellowstone en los Estados Unidos. En España los dos primeros Parques Nacionales que se crearon en 1918 fueron: la Montaña de Covadonga (Asturias) y el Valle de Ordesa (Huesca).

A un naturalista corresponde la que quizás sea la primera reacción en España a la nueva idea que supuso la protección de Yellowstone. El 6 de mayo de 1874, en una de las reuniones mensuales que celebraba en Madrid la entonces joven Sociedad Española de Historia Natural, el geólogo Juan de Vilanova leyó una extensa nota sobre las expediciones realizadas por científicos estadounidenses para explorar las maravillas naturales de la región de Yellowstone.

No es de extrañar que fuera Vilanova quien, apenas dos años después de que se crease el que era el primer Parque Nacional del mundo, iniciase la difusión en España de la nueva idea. Vilanova, además de ser uno de los geólogos más importantes de la segunda mitad del XIX en España, fue un gran viajero y un incansable divulgador de los avances y novedades internacionales de la ciencia de su tiempo. Sin embargo, incluso al cosmopolita Vilanova le parecía "una resolución muy extraña" la de segregar una porción de territorio para preservarla de la actividad humana.

Las reuniones de la Sociedad Española de Historia Natural, que evidentemente no era una corporación específicamente destinada a la conservación, proporcionó uno de los foros a donde se dirigieron las primeras propuestas para proteger especies y espacios.

Texto de S. Casado de Otaola (Adaptado de *Los Primeros pasos de la Ecología en España.*)

¿Lo has entendido?

1 Detecta los errores que existen en las siguientes afirmaciones:

1.1 Se entiende por "Parque Nacional" los espacios naturales con fórmulas conservacionistas.

1.2 Un naturalista no es la persona más adecuada para reaccionar ante la creación de un Parque Nacional.

1.3 A Juan de Vilanova le pareció una idea descabellada la de proteger un territorio del hombre.

1.4 En una de las reuniones de la Sociedad Española de Historia Natural se habló de las expediciones que se realizarían en Yellowstone.

1.5 La difusión definitiva de la idea de crear un parque nacional se dio en 1874.

2 Completa con verbos, adjetivos y sustantivos siempre que sea posible:

VERBOS	ADJETIVOS	SUSTANTIVOS
Establecer		
		Reacción
		Expedición
Iniciarse		
Segregar		
	Destinado	

¿Lo has entendido?

3 Relaciona las siguientes ideas mencionadas en la columna A con su equivalente de la columna B:

1. Protección de espacios naturales.
2. Naturalista.
3. Segregar una porción de territorio.
4. Proporcionar un foro.
5. Ser un hito.

a. Delimitar un área.
b. Facilitar un lugar de reunión.
c. Persona que estudia geografía, botánica y ecología.
d. Conservación de la fauna y la flora.
e. Ser un momento culminante en relación a otros.

4 Define a Juan de Vilanova con 5 adjetivos a través de la visión que se nos ofrece de él en el texto.

1. _____ 2. _____ 3. _____ 4. _____ 5. _____

5 Relaciona las acciones humanas del pasado que han originado los siguientes problemas ecológicos actuales:

A. Exterminio de los bancos de pesca.
B. Uso de productos que emiten CFC.
C. Residuos tóxicos.
D. Emisión de CO_2.
E. Caza furtiva.
F. Bosques arrasados.

1. Cambio climático.
2. Desertización.
3. Agotamiento de recursos pesqueros.
4. Incremento de cáncer de piel y de cataratas.
5. Contaminación de los ríos.
6. Desaparición de especies protegidas.

6 ## Ecos hispanos: Protección ecológica subacuática

La Asociación Protección Ecológica Subacuática nació de la necesidad ciudadana de proteger las aguas marinas de la Bahía de Acapulco. El grupo se formó en un principio con buzos deportivos, profesionales y principiantes, que, preocupados por las condiciones en que se encontraba el fondo del mar, se dieron a la tarea de rescatar lo que para México ha sido la ventana al mundo del turismo mundial: Acapulco. Hoy en día cuenta con el mismo tipo de socios, además de amas de casa, estudiantes y niños.

A México se le ha dado el nombre de país de las tortugas. ¿Por qué? Por razones simples: en las costas de México, del Océano Pacífico, del Golfo de México y del Mar Caribe, siete de ocho de las especies conocidas en el mundo, vienen a aovar en nuestras playas.

En este contexto, el Programa de Protección y Conservación de la Tortuga Marina a través de sus socios activos y voluntarios, inició en el año de 1993 un campo tortuguero, donde se estableció un intercambio de información con los habitantes de las comunidades asentadas en el área, por lo que esta asociación las ha integrado en el desarrollo de actividades productivas, para mitigar el impacto en su economía y en su dieta básica de alimentación.

¿Qué es un Campo Tortuguero?

Es un centro de acopio de huevos de Tortuga Marina, en el cual se genera la siembra para su eclosión entre los 45 y 50 días. Después de su eclosión las pequeñas tortuguitas se depositan en estanques, durante 15 días, en donde son alimentadas y cuidadas para posteriormente ser liberadas al mar.

¿Cómo puedo ayudar?

Enviad sugerencias por correo electrónico a PESAC@USA.NET

Adaptación de la Página *WEB*

1.- ¿Con qué finalidad se crean los campos tortugueros? ¿En qué consisten?

2.- ¿Cómo han involucrado a las comunidades del área?

3.- Envíales un mensaje de apoyo y de sugerencias al Correo Electrónico indicado.

Aprieta los codos

El español de América

Existe una relativa unidad entre la lengua que se habla en el continente americano y la de España. Pero hay también diferencias entre el español de América y el de España. Estas diferencias - morfológicas, fonéticas y léxicas - no se pueden generalizar para todo el español de América.

◆ **FENÓMENOS FONÉTICOS:** en estrecha relación con el habla andaluza y canaria.

◆ Seseo: Pérdida de la distinción entre **s** / **z** (fonema predorsal y a veces dental).
/ **siestesita** / (siestecita)

◆ Yeísmo: Pérdida de la distinción entre **ll** / **y** (fonema fricativo, palatal central).
/ **vaye** / (valle)

◆ Aspiración de la **-s** implosiva (final de sílaba).
/ **etreno** / (estreno)

◆ Aspiración de la **-s** final de palabra.
/ **lo amigo** / (los amigos)

◆ Pérdida de la **-d** final.
/ **casualidá** / (casualidad)

◆ Paso del diptongo **ai > ei**.
/ **beile** / (baile)

◆ Conversión de los **hiatos en diptongo** cambiando el acento ortográfico.
/ **ráiz** / (raíz)

◆ **FENÓMENOS MORFOLÓGICOS**

◆ El **voseo**: *Vos* en lugar de *tú* en singular. *Ustedes* en lugar de *vosotros* en plural.
Vos tenés / Ustedes van.

◆ Uso abundante de Perífrasis de infinitivo y de gerundio.
Ha de venir / (vendrá).

◆ Preferencia por el pretérito indefinido en vez del pretérito perfecto.
*¿Dónde las **hubiste** vos ? /¿Dónde las has encontrado?*

◆ Empleo del potencial de alegación (expresa una conjetura o rumor).
*El acuerdo **se firmaría** en abril.*

◆ Plural del verbo impersonal **haber**.
Habían 200 personas en la fiesta / Había 200 ...

◆ **FENÓMENOS LÉXICOS**

◆ Formación del masculino a partir de nombres femeninos.
Ovejo (oveja)

◆ Arcaísmos: Se han conservado palabras o formas verbales que en nuestro léxico han sido olvidadas o están en desuso.
Lindo (bonito) / **Vide** (vi)

◆ Sufijación en -**ADA** y **UDO**.

- ADA = Nombres de acción.

  *Sus **levantadas** de cabeza.*

- UDO = Matiz enfático.

  Macanudo.

◆ Influencias extranjeras: Italianismos, galicismos, portuguesismos, anglicismos…

Afiche, **góndola**, **living**, **churrasco**, etc.

◆ Voces indígenas que han pasado al español: **chocolate, vicuña, petaca, cóndor, tabaco, maíz, guacamayo,** etc.

Texto leído con acento uruguayo

Vas a comparar vos lo que eran antes estas tierras cultivadas por ellos racionalmente. No se necesita saber mucha aresmética, para sacar la cuenta. Con los dedos se hará. El méiz debe sembrarse, como lo sembraban y siguen sembrando los indios, para el cuscún de la familia y no por negocio. El méiz es mantenimiento, da para irla pasando y más pasando. ¿Dónde ves, Hilario, un maicerico? Parece tuerce, pero todos somos más pelados. En mi casa ha habido vez que no hay ni para candelas. Ricos los dueños de cacaguatales, ganados, frutales, colmenas grandes. Ricos de pueblo, pero ricos. Y en eso sí que vale ser cabeza de ratón, rico de pueblo. Y todo este cultivo tenían los indios, además del méiz, que es el pan diario; en pequeño, si vos querés, pero lo tenían, no eran codiciosos como nosotros, sólo que a nosotros, Hilario, la codicia se nos volvió necesidá. De necesidá, si no pasamos del maicito: ¡pobreza sembrada y cosechada hasta el cansancio de la tierra!

Yo vide arder los montes de Ilóm, a comienzo de siglo. Es el progreso que avanza con paso de vencedor y en forma de leño, explicaba el coronel Godoy con mucha gracia, frente al palerío de maderas preciosas convertidas en tizón, humo y ceniza, porque era el progreso que reducía los árboles a leño: caobas, matilisguates, chicozapotes, ceibas, pinos, eucaliptos, cedros y porque con la autoridá de la espada, llegaba al leño la justicia a leñazo limpio por todo y para todos.

Texto de M.A. Asturias (Adaptado de *Hombres de Maíz*.)

---

1 Clasifica los siguientes préstamos según su origen.

Criollo, altoparlante, samba, candombé, cachimba, rosticería, rol, tanque, kepi, decolaje, bongó, utilería, citadino.

◆Inglés ◆Francés ◆Italiano ◆Portugués ◆Lenguas africanas ◆Otras

---

2 Busca en el diccionario el significado de las siguientes palabras de la flora americana.

◆ Cafetal ◆ Camotal ◆ Totoral ◆ Yerbal ◆ Yuyal

---

3 Localiza en el texto las particularidades hispanoamericanas y defínelas según sus rasgos fonéticos, morfológicos y léxicos.

Ser y Estar

> **Usos Atributivos:** Se denomina de esta forma a determinados usos en que SER o ESTAR van seguidos directamente por un infinitivo, un sustantivo, un adjetivo o un pronombre.
>
> *Es **una carpeta** muy práctica (sustantivo).*
> *Ella **es quien** me llamó por teléfono (pronombre relativo).*

CON SER

◆ Cuando el atributo es un sustantivo, un infinitivo, LO + adjetivo o un pronombre.

> ***Lo peor** de ti **es** tu impuntualidad.*
> *Por fin, la casa **es nuestra**.*

◆ Unido a adjetivos verbales terminados en *-ble*; *-oso*; *-orio*; *-dor*; *-ante*.

> ***Es** una mujer **adorable**.*
> *La mejora de su acento **es notoria**.*
> *Cógelo porque **es** dinero **contante** y **sonante**.*

◆ Con adjetivos que expresen filiación, nacionalidad, especie, etc.

> *Ella **es judía** y él **protestante**.*
> *Mis nuevos vecinos **son granadinos**.*

CON ESTAR

◆ Seguido de sustantivo cambia de significado.
> ***Estar mosca** (= enfadado).*

◆ Con sustantivo precedido de **como**:
> *Maruja **está como un cencerro** (= parece estar loca - idea figurada -).*

◆ Los sustantivos pueden unirse a ESTAR mediante una preposición.
> ***Estamos a dos velas** (= sin dinero).*
> *Hoy **estoy para el arrastre** (= muy cansado).*

◆ En frases exclamativas, el sustantivo no cambia de significado, pero conlleva un sentido irónico.
> *¡Vaya un cocinero que **estás tú hecho**! (= Duda de su capacidad de cocinero).*
> *¡**Buena profesora estarías tú hecha**! (= Duda de su habilidad para enseñar).*

◆ Con los pronombres numerales ordinales para destacar el orden.
> *Yo **estaba la quinta** en la cola.*
> *El Sevilla **está el tercero** en la clasificación.*

◆ Los adverbios de modo *bien* / *mal* se construyen siempre con ESTAR.
> *¡Ya **está bien** de tanto ruido!*
> *La obra de teatro **ha estado muy mal**.*

◆ Con adjetivos de cualidades, ESTAR enfatiza la conducta y el aspecto.
> *¡Ya **estás muy alto**!*
> ***Estás tacaño** últimamente.*

◆ Los adjetivos *bueno* y *malo* con ESTAR hacen referencia a la salud o al aspecto físico.
> *¡Se nota que ya **estás bueno**!*
> *Este actor **está muy bueno** (expresión coloquial).*

◆ El pronombre neutro LO sustituye a los atributos de SER y ESTAR.

> *¿**Es muy complicado**?*
> *No, para mí no **lo es.***
> *¿**Estás cansado** de esta situación?*
> *Si, la verdad es que **lo estoy.***

EXPRESIONES IDIOMÁTICAS

Hay algunos adjetivos que, referidos a persona, cambian de significado según sean atributos de SER o de ESTAR.

SER bueno-a / malo-a (de carácter).
ESTAR bueno-a (de salud o de cuerpo).
ESTAR malo-a (estar enfermo).

SER vivo-a (inteligente, astuto).
ESTAR vivo-a (no estar muerto).

SER listo-a (inteligente).
ESTAR listo-a (preparado para realizar una acción).

SER fresco-a (insolente).
ESTAR fresco-a (equivocado).

SER católico-a (de religión).
(NO) ESTAR católico-a (no encontrarse bien de salud. Generalmente se usa en forma negativa).

SER limpio-a (mancharse poco).
ESTAR limpio-a (sin dinero, o sin antecedentes policiales).

SER delicado-a (fino de modales).
ESTAR delicado-a (salud frágil).

---

1 Completa las frases con *ser* o *estar*.

◆ Si _fuera_ capaz de dejar de fumar, me harías muy feliz.
◆ Los atletas _son_ habituados a un ritmo de vida diferente.
◆ ¡Qué seco _estuve_ el invierno pasado!
◆ _Son_ obras de arte muy costosas. *expensive*
◆ A mediodía seguramente _está_ ya en casa.
◆ Hoy el cielo _es_ muy azul.

party ◆ Para mí _es_ igual ir a la playa o a la montaña.
◆ Ayer la velada _fue_ muy agradable.
◆ No te comas ese plátano, todavía no _está_ maduro.
◆ No creo que la boda _está_ inminente.

una característica temporal

Aprieta los codos

2 Elige la construcción correcta de entre estas parejas, y explica por qué.

✓ ◆ A. Él era un hombre difícil.
◆ B. Él estaba un hombre difícil.

◆ A. Mi perro ya es recuperado.
✓ ◆ B. Mi perro ya está recuperado.

fin de modelo

✓ ◆ A. Es muy delicado con las mujeres.
◆ B. Está muy delicado con las mujeres.

✓ ◆ A. De momento, está parado.
◆ B. De momento, es parado.

✓ ◆ A. Nuestra relación fue casual.
◆ B. Nuestra relación estuvo casual.

✓ ◆ A. No está preparada para ese trabajo.
◆ B. No es preparada para ese trabajo.

◆ A. Últimamente no es católico.
✓ ◆ B. Últimamente no está católico. *Salud*

◆ A. Aún eres sin arreglarte.
✓ ◆ B. Aún estás sin arreglarte.

◆ A. ¡Es buenísimo, no puedo resistirlo!
✓ ◆ B. ¡Está buenísimo, no puedo resistirlo! *físico*

◆ A. ¡Eres fresco, si crees que voy a dejarte el coche!
✓ ◆ B. ¡Estás fresco, si crees que voy a dejarte el coche! *equivocado*

3 Completa libremente estas frases que contienen modismos dándoles sentido completo.

you'd agree with me ◆ Estás en Babia, por lo tanto ___no has entendido lo que acabo de decir___

it was obvious that ◆ Estaba a la vista que ___había olvidado mi cumpleaños___.

◆ No ___llores___ porque no es para tanto. *It's not as bad at that*

◆ ___No sé que decir porque___ estoy en blanco.

◆ Hoy estamos de suerte, por lo tanto ___podremos ver las focas___ en el mar

◆ Pues ___yo voy a quedarme en___ *casa* si váis a estar de palique todo el día. *to chat*

◆ Ni ___hablar___, hoy no está el horno para bollos. *rolls* *wrong moment*

◆ Es de veras, sólo le gusta ___las chicas rubias___.

packed ◆ Hoy las tiendas están de bote en bote, no sé qué ___comprar___.

◆ Ayer estaba para el arrastre, aunque hoy ___tengo mucha energía / estoy llena de vida___

◆ Siempre estoy a dos velas, de un tiempo a esta parte _____.
in one dale

4 ¿Qué significan los modismos del ejercicio 3?

_____
_____
_____
_____
_____
_____

SALVEMOS EL CLIMA NO MAS CENTRALES TERMICAS. STOP CO2 GREENPEACE

GREENPEACE EN ESPAÑA

Helena Fusté, Presidenta

Xavier Pastor, Director Ejecutivo

¿Lo has entendido?

Visiona dos veces el documental. A continuación:

1 Indica el orden de aparición de estas imágenes:

- [ ] Montaje de la base.
- [ ] Grupo de pingüinos.
- [ ] Imagen de Xavier Pastor.
- [ ] Titulares de la Inauguración de la Sede de Madrid.
- [ ] Aves en la orilla del mar.
- [ ] Titulares de la Cumbre de Madrid.

2 Responde a estas preguntas sobre el contenido auditivo del documental.

- **a.** ¿Cuál ha sido el papel de GREENPEACE durante más de 10 años en España?
- **b.** ¿En qué año se instaló la base fija de esta organización no gubernamental en la Antártida y con qué fin?
- **c.** ¿Qué español relevante participó en la expedición?
- **d.** ¿A qué acuerdo llegaron los países integrantes del Tratado Antártico en el Protocolo de Madrid?
- **e.** ¿Qué propone la organización GREENPEACE referente a la Antártida?

3 Completa los siguientes titulares de periódicos que aparecen en el vídeo:

■ **1.** La organización _____ GREENPEACE se presentó ayer oficialmente en _____ .

■ **2.** La Antártida permanecerá _____ hasta el año _____ .

■ **3.** Un total de 30 países firman el _____ de la Antártida.

■ **4.** GREENPEACE_____ que se declare a la Antártida _____ _____, asegurando así su _____ permanente.

4 Algunos consideran histriónicas, teatrales, aparatosas y escandalosas las actuaciones de la mayoría de los grupos ecologistas. ¿Consideras imprescindibles esas acciones de protesta para poder así manifestar sus denuncias y sus alternativas, o no? ¿Por qué?

5 Manifiesta las sensaciones positivas que hayas tenido ante las imágenes de la naturaleza e indica el elemento natural que más te haya impresionado en tu vida. Utiliza en las frases alguna expresión de:

● **Interés:** "Me atraen por....".
● **Aprecio:** "....tiene un valor incalculable."
● **Admiración**: "Encuentro maravilloso....".
● **Amor:** "Me vuelve loco....".
● **Alegría:** "Me produce una inmensa alegría....".
● **Satisfacción:** "Qué placer....".
● **Fascinación:** "Lo que más me atrae....".
● **Deseo:** "Me agradaría mucho....".
● **Utilidad:** "Es indispensable que....".
● **Responsabilidad:** "Es nuestra obligación....".
● **Decisión:** "Estoy decidido a....".

6 Manifiesta las sensaciones negativas que te provoca la actuación del hombre en contra de la naturaleza. Selecciona el hecho que te provoque más rechazo y utiliza en las frases alguna expresión de:

● **Indiferencia:** "Me es indiferente ....".
● **Desprecio:** "No merece la pena ....".
● **Hostilidad:** "Yo estoy en contra ....".
● **Tristeza:** "Me pone muy triste ....".
● **Insatisfacción:** ".... dejan mucho que desear."
● **Decepción:** "Lo que menos me imaginaba ....".
● **Temor:** "Sólo el pensar que .... me pone la carne de gallina."
● **Inutilidad:** "No merece la pena que ....".
● **Irresponsabilidad:** "La consecuencia de .... es irreparable."
● **Confianza:** "Confío en que ....".

¡**Para no pegar ojo...!**

Prepara una composición escrita, en forma **dialogada** entre la "Madre Tierra" y el hombre. La "Madre Tierra" desea conocer los motivos que llevan al hombre a destru su hogar.

Incluye algunos de estos temas en el diálogo:

● Agotamiento de las fuentes de recursos (energéticos, marinos...).
● Contaminación (atmosférica, mareas negras...)
● Urbanización de las costas.
● Caza de ballenas y focas.
● Vertido de residuos.

Aprieta los codos

Gerundio

♦ **FUNCIÓN ADVERBIAL**

   *Se marchó **llorando** (= tristemente).*

   ♦ Admite el diminutivo.

   *Luis va **tirandillo** en su nuevo negocio.*

♦ **FUNCIÓN VERBAL**

   ♦ Puede referirse a un O.D. - no de cosa - con valor explicativo.

   *Encontró a su hermana **llorando** en la calle.*

   ♦ Forma frecuentes perífrasis verbales: **acabar / seguir / venir / llevar + gerundio.**

   ***Llevan espiándose** años la una a la otra.*

   ♦ Equivale a oraciones circunstanciales: condicionales, concesivas, causales, modales, temporales.

   ***Viendo** que no acudían se acercó.*

   ♦ Expresa acción simultánea a la principal.

   *Prepara la comida **escuchando** la radio.*

   ♦ En español se usa incorrectamente o se abusa del gerundio en varios casos.

   *Encontraron una maleta **conteniendo** armas.*
   *(Se refiere a O.D. de cosa; debe ser **que contenía**.)*

   *Se necesita una secretaria **sabiendo** informática.*
   *(= **Que sepa**.)*

   *Se cayó de la escalera, **rompiéndose** un brazo.*
   *(Valor de posteridad; debería ser **y se rompió**.)*

---

1 Elige la respuesta correcta

♦ Mes a mes, año a año, (*resucitar, ellas*) _____ de sus ruinas las iglesias de Bom-Conselho, de Geremoabo.

   1. fueron resucitando
   2. anduvieron resucitando
   3. vinieron resucitando

♦ El dueño de casa, en cambio, había dejado de sonreír. Pero su tono de voz (*ser*) _____ cordial.

   1. estuvo siendo
   2. siguió siendo
   3. salió siendo

◆ Los colores (*desaparecer*) _____ de los vestidos de jóvenes y viejas.

   1. anduvieron desapareciendo
   2. quedaron desapareciendo
   3. fueron desapareciendo

◆ (*Recobrar*) _____ la conciencia, parpadeó, miró...

   1. Anduvo recobrando
   2. Llevó recobrando
   3. Fue recobrando

◆ Tiene la boca entreabierta bajo el pañuelo y, como cada vez que reflexiona,
(*lamerse*) _____su diente de oro.

   1. viene lamiéndose
   2. está lamiéndose
   3. sale lamiéndose

◆ En Canudos (*germinar*) _____ ,de manera espontánea una revolución.

   1. está germinando
   2. lleva germinando
   3. deja germinando

◆ Decide que la Séptima Brigada, que (*proteger*) _____ a los heridos de la Favela,
venga a reforzar la "línea negra".

   1. ha dejado protegiendo
   2. ha andado protegiendo
   3. ha llevado protegiendo

De M. Vargas Llosa (frases de *La guerra del fin del mundo*.)

2 Transforma los gerundios en oraciones circunstanciales con los nexos:
como, si, aunque y cuando.

Considerándolo así tienes razón = **Si lo consideramos** así, tienes razón.

◆ Teniendo amigos como tiene, nadie le ha echado una mano.
....

◆ En el avión, volviendo a su país, recordó su infancia.
....

◆ Viendo el éxito de la obra, prolongaron la temporada.
....

◆ No habiendo obtenido beneficio, se disolvió el negocio.
....

Texto leído con acento mexicano.

> Vivimos el fin de un siglo. El pasado reciente nos enseña que nadie tiene las llaves de la historia. Algo sabemos sin embargo, la vida en nuestro planeta corre graves riesgos. En el momento en el que comenzamos a descifrar los secretos de las galaxias y de las partículas atómicas, los enigmas de la biología molecular y los del origen de la vida, hemos herido en su centro a la naturaleza. Por esto, cualesquiera que sean las formas de organización política y social que adopten las naciones, la cuestión más inmediata y apremiante es la supervivencia del medio natural. Defender a la naturaleza es defender a los hombres.
>
> **Discurso de Octavio Paz en Estocolmo con motivo de la concesión del Premio Nobel 1990. Texto adaptado.**

1 Elabora un decálogo de actitudes ecológicas que consideres necesarias para preservar la habitabilidad de nuestro entorno.

1.
2.
3.
4.
5.
6.
7.
8.
9.
10.

2 En el texto se describe el fenómeno meteorológico de las lluvias torrenciales. Extrae sus características. Describe alguno de los fenómenos de la naturaleza que perturban la vida humana: terremoto, tornado, ciclón, maremoto…

Texto leído con acento uruguayo.

Lo que más me ha molestado de este país, son las lluvias torrenciales. Lo cogen a uno de sorpresa siempre. Nosotros andábamos en el carretón y se ponía el cielo nublado, luego negro total, y empezaban los truenos. La mula se ponía a corcovear, nerviosa. Uno mismo, sin costumbre de esas lluvias, se molestaba. El aguacero caía sobre el paraguas del carretón y se lo quería llevar el vuelo. A veces partía las varillas. Eran trombas tropicales. Después de un chubascón de esos, me entraban toses y catarros. Lo bueno es que yo he sido siempre fuerte y con un jarabe de Chamberlain y la miel de abejas, me lo curaba todo. Nunca se acostumbra uno a otra tierra aunque pasen años como golondrinas. De todos modos, me iba adaptando, con mi orgullo de español y mi honradez como trabajador, claro está. No es que me costara trabajo andar con cubanos, es que yo era solitario de nacimiento. En mi aldea no tuve amigos grandes. Aquí, sin embargo, sí los tuve, gallegos y cubanos también. El cubano es relajón, pero noble, y en eso es más gallego que el mismo gallego.
Yo quiero a Cuba como si fuera mi tierra. Con todo y que he pasado aquí unas cuantas tormentas. Pero a Galicia no se le olvida.

Texto de M. Barnet. (Adaptado de *Gallego*.)

3 Los fenómenos y ciclos de la naturaleza influyen en la psicología humana.

a) ¿Cómo se ve afectado el autor del texto por las lluvias torrenciales?

b) ¿Cómo afectan las estaciones del año a nuestro estado de ánimo?

	ESTADO DE ÁNIMO	PATOLOGÍA
INVIERNO	Tristeza	Depresión
PRIMAVERA		
VERANO		
OTOÑO		

4 Descubre la palabra exacta para cada refrán.

"Por abril corta un _____ y nacerán mil."

a) cardo
b) margarita
c) higo

PRIMAVERA

"Junio _____ año abundante."

a) tormentoso
b) brillante
c) ventoso

VERANO

"Octubre las mejores frutas _____."

a) florecen
b) se marchitan
c) pudre

OTOÑO

"En febrero un día al sol y otro a _____."

a) el brasero
b) las brasas
c) las llamas

INVIERNO

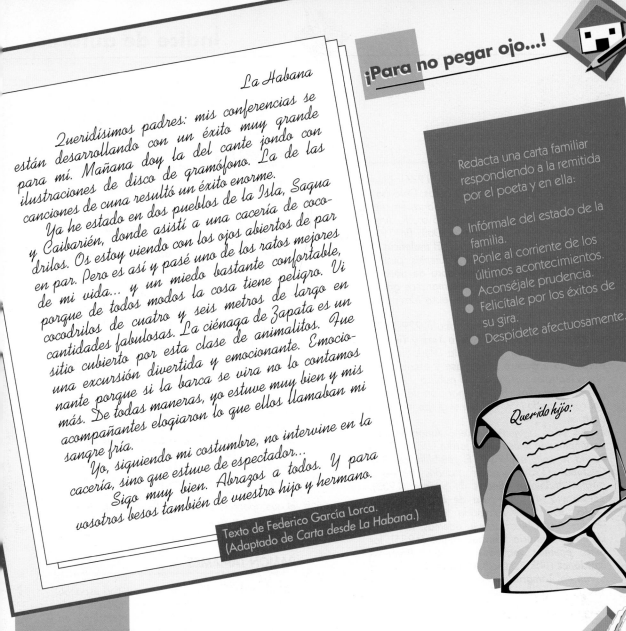

La Habana

Queridísimos padres: mis conferencias se están desarrollando con un éxito muy grande para mí. Mañana doy la del cante jondo con ilustraciones de disco de gramófono. La de las canciones de cuna resultó un éxito enorme.

Ya he estado en dos pueblos de la Isla, Sagua y Caibarién, donde asistí a una cacería de cocodrilos. Os estoy viendo con los ojos abiertos de par en par. Pero es así y pasé uno de los ratos mejores de mi vida... y un miedo bastante confortable, porque de todos modos la cosa tiene peligro. Vi cocodrilos de cuatro y seis metros de largo en cantidades fabulosas. La ciénaga de Zapata es un sitio cubierto por esta clase de animalitos. Fue una excursión divertida y emocionante. Emocionante porque si la barca se vira no lo contamos más. De todas maneras, yo estuve muy bien y mis acompañantes elogiaron lo que ellos llamaban mi sangre fría.

Yo, siguiendo mi costumbre, no intervine en la cacería, sino que estuve de espectador...

Sigo muy bien. Abrazos a todos. Y para vosotros besos también de vuestro hijo y hermano.

Texto de Federico García Lorca.
(Adaptado de Carta desde La Habana.)

¡Para no pegar ojo...!

Redacta una carta familiar respondiendo a la remitida por el poeta y en ella:

- Infórmale del estado de la familia.
- Ponle al corriente de los últimos acontecimientos.
- Aconséjale prudencia.
- Felicítale por los éxitos de su gira.
- Despídete afectuosamente.

Querido hijo:

Índice de autores

MIGUEL ÁNGEL ASTURIAS

Nació en 1899 y falleció en 1974. Poeta y novelista guatemalteco. Escritor realista, utilizó en sus novelas temas míticos y oníricos y glosó las tradiciones y leyendas de los indios: **Leyendas de Guatemala** (1930), **Hombres de maíz** (1949) - sobre un mito indígena de la creación del hombre que identifica a éste con la tierra -, y **Mulata de tal** (1963). También es autor de **El Señor presidente** (1946), premio de 1951 al mejor libro extranjero publicado en París; **Viento fuerte** (1950), **El papa verde** (1954) y **Los ojos de los enterrados** (1960). Escribió algunos libros de poesía: **Sonetos** (1937), **Alclazán** (1940), etc. Entre sus últimas obras sobresale **Malandrón** (1969). Premio Lenin de la Paz en 1965 y Premio Nobel de Literatura en 1967.

MIGUEL BARNET

Nació en La Habana en 1940. Desde 1959 se dedicó, primero como estudiante y luego como profesor, a los estudios folclóricos y etnológicos. Sus obras más conocidas son **La canción de Raquel**, y sobre todo **Biografía de un cimarrón**, paradigma de la llamada "novela de testimonio" y que alcanzó un éxito espectacular, hasta el punto de ser traducida a los principales idiomas.

FEDERICO GARCÍA LORCA

*(Fuente Vaqueros, 1898 - Víznar, 1936). Escritor español. Estudió Filosofía y Letras, Derecho y Música. En 1919 se instaló en Madrid, en cuya Residencia de Estudiantes conoció a J.R. Jiménez, R. Alberti, L. Buñuel y S. Dalí. En 1920 estrenó su primera obra teatral, **El maleficio de la mariposa**. En los años siguientes publicó varios volúmenes de poesía: **Libro de poemas** (1921), **Canciones** (1927) y **Romancero gitano** (1928). En 1927 estrenó la obra dramática **Mariana Pineda**.*

*Viajó por Estados Unidos y Cuba (1929-1930) y lo plasmó en **Poeta en Nueva York** y **Tierra y Luna**, que no verían la luz hasta 1940. En 1930 estrenó **La zapatera prodigiosa** y escribió dos obras teatrales surrealistas, **El público** y **Así que pasen cinco años**. Tras la aparición de **Poema del cante jondo** (1931), creó el grupo teatral La Barraca.*

*En los años siguientes estrenó **Amor de don Perlimplín con Belisa en su jardín** (1933), **Doña Rosita la soltera** (1934), **El retablillo de Don Cristóbal** (1934) y tres grandes tragedias rurales andaluzas: **Bodas de sangre** (1933), **Yerma** (1934) y **La casa de Bernarda Alba** (junio de 1936, estrenada en 1945). Su producción poética incluye, además, la elegía **Llanto por Ignacio Sánchez Mejías** (1935), los **Seis poemas gallegos** (1935), **Primeras canciones** (1936, escritas hacia 1922) y **El Diván del Tamarit** (publicado póstumamente en 1940). Al estallar la Guerra Civil fue detenido en Granada por la Guardia Civil y fusilado la madrugada del 19 de agosto de 1936.*

OCTAVIO PAZ

*(Mixcoac, 1914). Escritor mexicano. Poeta y ensayista, ha escrito sobre arte, poesía, antropología, historia, política, estética y filosofía. Publicó su primer poemario, **Luna silvestre**, en 1933.*

*Su poesía, al principio - **Bajo tu clara sombra y otros poemas sobre España** (1937), **Raíz del hombre** (1937), o **Entre la piedra y la flor** (1941) -, era de compromiso político, pero desde 1940 se hizo más libre y personal - **Libertad bajo palabra** (1949), **Piedra de sol** (1957) o **Salamandra** (1962). Se le considera uno de los grandes ensayistas contemporáneos por obras como **El laberinto de la soledad** (1950), sobre México, **El arco y la lira** (1956), sobre poesía, **Puertas al campo** (1966).*

*A partir de 1967, sigue escribiendo poesía - **Vuelta**, (1976), o **Árbol adentro** (1987) - pero aumenta su producción de ensayos, como **Sor Juana Inés de la Cruz o Las trampas de la fe** (1982) o **La otra voz** (1990). La revista mexicana **Vuelta**, fundada por él en 1976, obtuvo el Premio Príncipe de Asturias de Comunicación y Humanidades en 1993, año en el que aparecía su libro **La llama doble**. Recibió el Premio Cervantes en 1981 y el Premio Nobel en 1990.*

RAMÓN TAMAMES

*Nació en 1933. Economista y político español. Catedrático de la Universidad Autónoma de Madrid. Miembro del PCE, lo abandonó en 1981. Autor de: **Estructura económica de España** (1960), **La oligarquía financiera en España** (1975), **El futuro de la nación** (1981), y **El Mercado Común Europeo** (1982).*

PRUEBA 1: COMPRENSIÓN DE LECTURA

EJERCICIO PRIMERO

**A continuación encontrará usted un texto y una serie de preguntas relativas a él.
Seleccione una respuesta entre tres opciones.**

Majestades, Señoras y Señores:

Seré breve. Sin embargo, como el tiempo es elástico, ustedes tendrán que oírme durante ciento ochenta largos segundos.

Vivimos no sólo el fin del siglo sino de un periodo histórico. ¿Qué nacerá del derrumbe de las ideologías? ¿Amanece una era de concordia universal y de libertad para todos o regresarán las idolatrías tribales y los fanatismos religiosos, con su caudal de discordias y tiranías? Las poderosas democracias que han conquistado la abundancia en la libertad ¿serán menos egoístas y más comprensivas con las naciones desposeídas? ¿Aprenderán éstas a desconfiar de los doctrinarios violentos que las han llevado al fracaso? Y en esa parte del mundo que es la mía, América Latina, y especialmente en México, mi patria: ¿alcanzaremos al fin la verdadera modernidad, que no es únicamente democracia política, prosperidad económica y justicia social, sino reconciliación con nuestra tradición y con nosotros mismos? Imposible saberlo. El pasado reciente nos enseña que nadie tiene las llaves de la historia. El siglo se cierra con muchas interrogaciones. Algo sabemos, sin embargo: la vida en nuestro planeta corre graves riesgos. Nuestro irreflexivo culto al progreso, y los avances mismos de nuestra lucha por dominar a la naturaleza, se han convertido en una carrera suicida. En el momento en que comenzamos a descifrar los secretos de las galaxias y de las partículas atómicas, los enigmas de la biología molecular y los del origen de la vida, hemos herido en su centro a la naturaleza. Por esto, cualesquiera que sean las formas de organización política y social que adopten las naciones, la cuestión más inmediata y apremiante es la supervivencia del medio natural. Defender a la naturaleza es defender a los hombres.

Fraternidad con la Naturaleza.
OCTAVIO PAZ.

1 El fin de siglo, según el autor, viene marcado por:
   a) La concordia y la libertad para todos.
   b) El derrumbe de las ideologías.
   c) Los fanatismos religiosos.

2 La modernidad que pide el autor para América Latina debe incluir:
   a) El olvido del pasado reciente.
   b) El culto al progreso y los avances.
   c) La reconciliación con la tradición.

3 La herida realizada a la naturaleza por el hombre coincide con el momento en que:
   a) Surgen nuevas formas de organización política y social de las naciones.
   b) Desciframos los secretos de las galaxias.
   c) Descubrimos las llaves de la historia.

PRUEBA 2: EXPRESIÓN ESCRITA

Véase *Aprieta los codos*: Redacción (pág. 86).

PRUEBA 3: COMPRENSIÓN AUDITIVA

 A continuación escuchará un comentario sobre la capa de ozono.

PREGUNTAS

1 En la grabación se dice que sin la capa de ozono sólo habría vida vegetal sobre la tierra.
a) Verdadero.
b) Falso.

2 En la grabación se responsabiliza al hombre de la degradación de la capa de ozono por el aumento de la polución.
a) Verdadero.
b) Falso.

3 Según la grabación, los rayos solares sólo provocan cáncer de piel a quienes toman mucho el sol actualmente.
a) Verdadero.
b) Falso.

4 La grabación informa de que una molécula de cloro puede destruir 100.000 moléculas de ozono.
a) Verdadero.
b) Falso.

PRUEBA 4: GRAMÁTICA Y VOCABULARIO

SECCIÓN 1: TEXTO INCOMPLETO

Complete el siguiente texto eligiendo para cada uno de los huecos una de las tres opciones que se le ofrecen.

TEXTO

Hay árboles que en pleno enero conservan las hojas ____1____ secas y sin caer al suelo. A los quejigos (Quercus faginea) y a los robles melojos (Quercus pyrenaica) parece que les costara decidirse a soltar prenda. Su ____2____ no es el triste gris de otros bosques caducifolios, sino un __3__ pardo. Como una indecisión suspendida de las ramas. Hasta que los ____4____ nuevos empujen definitivamente el follaje al suelo. Pero eso ocurrirá hacia marzo. De momento, la circulación de ____5____ se ha detenido en su interior. Han acumulado sustancias nutritivas en las raíces y en los troncos. Cuando se decidan a ___6____ las hojas secas, necesitarán de estas reservas para desarrollar el denso follaje que todos esperamos para la temporada primavera-verano 97.

Todo es cuestión de hormonas. Las hormonas vegetales que gobiernan el reposo dominan ahora sobre las que ____7____ el crecimiento. La brevedad de las horas de luz indican a robles, quejigos, y también a los árboles de hoja ____8____ caediza, que es tiempo de hacer una pausa. Lo mismo está sucediendo en las bellotas que cayeron el pasado otoño. Semienterradas, o al descubierto, reposan esperando el momento en que las hormonas de crecimiento den el ____9____ de que es hora de ___10____ raíces sobre esta tierra.

Texto de F.J. Barbadillo. (Adaptado de *Aula de campo*.)

OPCIONES

1
a) completamente
b) perennemente
c) indiscutiblemente

2
a) pelaje
b) exterior
c) aspecto

3
a) decaído
b) melancólico
c) afligido

4
a) brotes
b) tallos
c) yemas

5
a) zumo
b) caldo
c) savia

6
a) innovar
b) mudar
c) evolucionar

7
a) rigen
b) funcionan
c) actúan

8
a) tópicamente
b) delicadamente
c) típicamente

9
a) aviso
b) rumor
c) indicio

10
a) excluir
b) echar
c) arrojar

SECCIÓN 2: SELECCIÓN MÚLTIPLE

En cada una de las frases siguientes se ha marcado con letra negrita y cursiva un fragmento. Elija entre las tres opciones de respuesta, aquella que tenga un significado equivalente al del fragmento marcado.

1. Antes de acudir a una cena le gusta *matar el gusanillo* con alguna galleta.
   a) acortar el tiempo de espera
   b) tomar algo ligero para reducir el apetito
   c) tranquilizarse

2. Aunque no sea más que un extra, *se da humos de* actor profesional.
   a) fuma como un
   b) presume de ser un
   c) tiene el mal carácter de un

3. ¡Con lo que es Matilde, su marido es un *Juan Lanas*!
   a) bonachón
   b) hombre sumiso
   c) hombre muy peludo

4. *Se pasó de lista* al declarar que ella no firmaba lo que los demás.
   a) Se confundió de lista
   b) Fue increíblemente astuta
   c) Sobreestimó su inteligencia

5. Cuando el metro está abarrotado, algunos viajeros *dejan caer la mano tonta*.
   a) roban con maestría
   b) no pueden sujetarse a la barra
   c) soban a las mujeres

6. Después de un seminario intensivo de tres días sobre el vuelo de las moscas, *le patinan las neuronas*.
   a) tiene una gran agilidad mental
   b) ve las cosas con más claridad
   c) dice cosas absurdas

7. Al volver a casa se la encontró *patas arriba*.
   a) con los muebles al revés
   b) desordenada
   c) encima de unos pilares

8. No te fíes de lo que te ha prometido, *tiene mucha labia*.
   a) se expresa con mucha rapidez
   b) tiene una boca muy grande
   c) habla muy bien y es muy convincente

9. Estos zapatos son *de mucho trote*, llevo años con ellos.
   a) muy resistentes
   b) para gente a la que le gusta correr
   c) para ir al trote

10. Este profesor tiene fama de *ser un hueso*.
    a) estar muy delgado
    b) estar anoréxico
    c) ser muy exigente

SECCIÓN 3: DETECCIÓN DE ERRORES

A continuación le presentamos dos textos. En ellos, debe Vd. detectar un total de cinco errores. Estos errores se han distribuido al azar, de manera que puede haber, por ejemplo, 4 en el primer texto y 1 en el segundo; o 2 en el primero y 3 en el segundo.

El licor de madroño ya es listo. Sacad las botellas del armario, filtrad el contenido a un colador de tela, ... y contemplo el fruto de vuestra paciencia.

está

El	licor	de	madroño	ya	es	listo.	Sacad	las	botellas	del	armario,	filtrad	el
1	2	3	4	5	6	7	8	9	10	11	12	13	14

? ? contemplad

contenido	a	un	colador	de	tela,	...y	contemplo	el	fruto	de	vuestra	paciencia.
15	16	17	18	19	20	21	22	23	24	25	26	27

Es un licor de alta graduación, como que su consumo debe ser muy moderado. Tomado en vasitos pequeños, que hayan estados guardados en el congelador. ¡Salud!

Texto de J. Barbadillo. (Adaptado de *Aula de Campo*.)

así

Es	un	licor	de	alta	graduación,	como	que	su	consumo	debe	ser	muy	moderado.
28	29	30	31	32	33	34	35	36	37	38	39	40	41

Toman _estado_

Tomado	en	vasitos	pequeños,	que	hayan	estados	guardados	en	el	congelador.	¡Salud!
42	43	44	45	46	47	48	49	50	51	52	53

unidad 5

mundo latino

sumario   pág.

Hablemos de...

Los españoles

Manuel Hidalgo
TODOS VOSOTROS
Gente buena, mala gente, la gente de la ciudad tal como es.

Prólogo de Juan José Millás

PLANETA

CARICATURAS DE TODOS NOSOTROS

"¿ADÓNDE VA USTED?" EL PORTERO POLICÍA

La portería es un oficio de supervivientes. Con las crisis endémicas y pertinaces como la sequía, han ido quitando los porteros para reducir los gastos de comunidad y son relevados por los porteros automáticos, que no gastan nada en uniforme.

Grave error. El portero es un polifacético sujeto que presta servicios impagables, su versatilidad no tiene parangón. Saben hacer de todo, lo mismo cuidan las plantas que arreglan un friegaplatos.

Son la Radio Macuto del edificio, los perfectos comunicadores, periodistas sin carnet que difunden eficazmente toda la información sobre el vecindario, incluidas exclusivas de gran impacto.

Las viejas que viven solas los toman por confidentes, y los hacen depositarios de sus alarmas y de sus cuitas.

El uniforme es lo peor que tienen los porteros. Una vez uniformados engordan de autoridad y, como los carabineros de las aduanas, vigilan con colmillos de mastín las fronteras del edificio. "¿Adónde va usted?" es la hostil pregunta que nos hace el portero cuando entramos en portal ajeno, dispuesto a lanzarse a la yugular del desconocido. Pero el portero es también el vigilante exterior de nuestra conciencia ¿Cuántos Rodríguez veraniegos no habrán preservado su virtud por temor a la mirada acusadora del propio portero?

El portero es el guardián, entre los buzones, de la moral de la casa; el portero es el ojo de Dios.

"MÁS BAJO, POR FAVOR". EL VECINO ESCANDALOSO

Entendemos el silencio como antesala de la muerte y clímax de lo divino. Todo lo demás para no pasar por tristes o apocados, nos exige grito y vibración vocal de garganta profunda. Lo celebramos todo con tunas, rondallas y acordeones, No sabemos mirar un hermoso paisaje quieto sin soliviantarlo con canciones de excursión.

La juventud se ha acostumbrado a chillar para sobreponerse a la trepidación de los bafles discotequeros y, en las casas, es forzoso hablar a voces para hacerse entender por encima del siempre alto volumen de la televisión.

Para los escasos que gustan del silencio, la proximidad de un vecino apacible es una utopía esencial. Los viejos tienden a hacerse acompañar, si viven solos, por las voces amigas de los locutores y presentadores radiofónicos y televisivos, voces enemigas cuando se entrometen en nuestro trabajo o nuestro descanso.

Los jóvenes vecinos solteros también son temibles por sus vídeos y sus compact atronantes. Los solteros, además, celebran fiestas y guateques con apretada periodicidad, con nocturnidad y notorio desprecio al sueño ajeno.

Los vecinos casados se enzarzan en tremebundas discusiones y en peleas horrísonas. Los patios, al caer la noche son una Babel de insultos, imprecaciones y amenazas.

La feliz cercanía de una pareja joven bien avenida se va al traste por su natural desenlace: ella se queda embarazada. Esto será el preludio de un futuro, primero, de lloros y trasiegos nocturnos y, después, de órdenes e intimidaciones: "¡Jesusín, a la cama!" "¡Deja eso, que te parto la cara!" "¿Qué te tengo dicho, qué te tengo dicho yo?" y cuando, a las cinco de la mañana los sonidos se extinguen, las voces se acallan y cabe hacerse ilusión de poder dormir un par de horitas hasta que empiece el primerísimo de la mañana, la vieja de arriba se levanta al water y tira mal de la cadena. Y entonces el vientre de la cisterna ruge hasta que suena el despertador.

"LA REVOLUCIÓN DEL KLEENEX". EL CHICO DEL PAÑUELITO

El chico que vende pañuelitos de papel no está ahí por gusto. El semáforo es un tajo muy duro. Beber humos de los tubos de escape, socarrarse en la canícula y congelarse los pies en la cuesta fría de enero son las enfermedades propias de estos profesionales.

"¡Que trabajen!", dice la buena gente. ¿Pero no es eso trabajar? Estar horas de plantón a la intemperie ¿no es trabajo más ingrato que sestear en una oficina, pintar la mona en un mostrador o marear la perdiz en una tienda de decoración? Son todos drogadictos, dice la buena gente. La gente buena, tan mala, ve drogadictos donde no ve corbatas.

Los chicos de los pañuelitos, sólo con una bolsa de plástico en la mano, están haciendo una auténtica revolución. Bien, pues en la transición y en la última década los chicos de los pañuelitos han conseguido que los españoles pasemos del moquero al Kleenex.

Las mujeres fueron pioneras del Kleenex. Se sonaban finamente, con triangular elegancia de dedos. Los hombres tardamos  más en aceptar la innovación. Preferíamos el moquero de toda la vida, el gran pañuelo con la inicial del apellido en una esquina. Claro que a los hombres no nos importaba porque no los teníamos que lavar.

La industria papelera, que siempre anda por los suelos, habrá levantado cabeza gracias a los chicos de los pañuelitos, a esos minoristas del semáforo. ¿Cuántos miles de Kleenex se venderán en Madrid? Nadie lo sabe. Pero lo que sí sabemos es que, el Kleenex por el moquero, eso sí ha sido un cambio. No figura en ningún programa electoral, pero se ha hecho en la calle. Donde se hace la Historia.

Texto de M. Hidalgo.
(Adaptado de *Todos Vosotros*.)

 # ¿Lo has entendido?

‹1› Elige la opción correcta según el texto.

A. Determina cuál de estas funciones no desempeña el portero del texto:
a) Difundir las noticias y exclusivas entre el vecindario.
b) Ser depositario de las confidencias de las viejas.
c) Ser cómplice de las infidelidades de los maridos.

B. ¿Por qué son temibles los vecinos solteros?
a) Porque sus fiestas y guateques son multitudinarios.
b) Por sus vídeos y compact atronantes.
c) Porque tienen siempre alto el volumen de la televisión.

C. ¿Qué han conseguido los chicos de los pañuelitos?
a) Que los españoles pasemos del moquero al kleenex.
b) Que las mujeres se suenen con el moquero.
c) Abandonar el mundo de la droga.

‹2› En el apartado del portero policía.

Por ser polifacético, el portero desempeña diferentes funciones. Clasifícalas:

Vigilante del edificio, Confidente, Guardián de la moral, Radio Macuto, Control de visitantes, Vigilante de nuestra conciencia, El ojo de Dios, Periodista sin carnet.

INFORMATIVA	POLICIACA	MORAL

¿Lo has **e**ntendido?

 3 En el apartado del vecino escandaloso.

A. Anota las palabras o expresiones relacionadas con el ruido. Ejemplo: *Hablar a voces.*

B. Completa el siguiente cuadro:

	ORIGEN DEL RUIDO	HORA DEL RUIDO
Joven vecino soltero		
Vecinos casados		
Pareja joven con niño		
Vecinos viejos		

 4 En el apartado del chico del pañuelito.

El autor muestra cierta simpatía hacia este personaje. Indica la postura contraria a estas opiniones y manifiéstate al respecto:

A. "¿No es trabajo más ingrato que sestear en una oficina...?"

B. "El chico que vende pañuelitos de papel no está ahí por gusto."

C. "La gente buena, tan mala, ve drogadictos donde no ve corbatas."

 **5** Relaciona las siguientes frases y expresiones con su significado.

EXPRESIONES		SIGNIFICADO
1. Ser radio macuto.	**a.**	Ser exclusivo y sin comparación con otra cosa.
2. No tener parangón.	**b.**	Darle excesivas vueltas a las cosas sin decidirse.
3. Marear la perdiz.	**c.**	Darse importancia pero sin hacer nada.
4. Estar de plantón.	**d.**	Desempeñar una función con agresividad.
5. Pintar la mona.	**e.**	Ser indiscreto y dar a conocer los hechos de los demás.
6. Vigilar con colmillos de mastín.	**f.**	Permanecer parado esperando a alguien mucho tiempo.

 6 ¿Qué tipos o comportamientos de los que habla el texto son generalizables a otros países y culturas?

 7 A los españoles y a los hispanos se nos llama *latinos*. ¿Qué características nos atribuirías a los *latinos*?

¿Lo has entendido?

‹8› **Profundiza.**

a. *Relevar* y *revelar* son similares fónicamente, ¿qué diferencias o similitudes de significado hay entre ellos? Construye dos frases con cada palabra.

b. ¿Qué cabe, por ejemplo, en un *macuto*? Elabora una familia léxica de objetos que sirven para guardar cosas.
Ej.: *La cartera - Para guardar dinero y documentos.*

c. *Lanzar una mirada acusadora* es igual a *reprochar* con la mirada, sin palabras. Forma frases con estos otros verbos del mismo campo semántico: *regañar, reprender, echar la bronca, discutir, pelear.*

d. *Apocado* es sinónimo de *tímido* y antónimo de *valiente. Soliviantar* es igual a *alborotar* y lo contrario de *apaciguar.* Busca otros 5 sinónimos y antónimos de estos adjetivos.

e. *Irse al traste,* ¿es igual que *ser un trasto,* o *tirarse los trastos*? ¿Qué significan cada una de estas expresiones?

f. Busca una definición para el eufemismo *Rodríguez veraniego,* que aparece en el texto. ¿Existen en tu país? ¿Cómo se les llama?

g. Busca el sustantivo y el verbo relacionado con estos adjetivos cuando sea posible.

ADJETIVO	SUSTANTIVO	VERBO
Asustadizo/a		
Temeroso/a		
Quieto/a		
Redundante		
Sucio/a		
Uniformado/a		
Veraniego/a		
Catalogable		
Consumado/a		
Breve		

h. Completa el ejercicio utilizando estos términos:

Chillar, hablar a voces, discusiones, peleas, insultos, imprecaciones, amenazas, enfadarse.

● Si crees que con tus _____ voy a echarme atrás en este proyecto, estás muy equivocado.

● Parece que los españoles _____ cuando hablan de fútbol, pero en realidad sólo están

_____.

● Las _____ entre niños son propias de una edad determinada.

● Se puso a _____ como un energúmeno cuando le quitaron el bolso.

● En _____ se llega a veces a _____ de los cuales uno se arrepiente.

● Las _____ son propias de algunas culturas, llegando a atemorizar a las personas

superticiosas.

EL CAFETÍN

Tema: ¿Qué conoces del mundo hispano? 60 minutos

1.- Formar tres grupos y nombrar un portavoz.
2.- Establecer un turno de respuestas.
3.- Nombrar un árbitro anotador.
4.- El profesor-presentador hará una pregunta de cada tema a cada uno de los equipos.
5.- Cada respuesta acertada valdrá dos puntos.
6.- Si un grupo no acierta en su turno podrá contestar el grupo siguiente. En este caso la respuesta acertada valdrá únicamente un punto.
7.- El grupo ganador deberá ser invitado a un aperitivo (si es posible español) por los componentes de los grupos perdedores.

Casa de América
(Palacio de Linares. Madrid.)

I pi**n**tura

1.-¿De qué pintor español es el cuadro de *Las Meninas*?
2.- ¿Quién fue Frida Kahlo?
3.- ¿Qué pintor mexicano fundó el movimiento muralista?

II lit**e**ratura

4.- ¿Quién es el Premio Nobel de Literatura autor de *La Colmena*?
5.- ¿Qué escritor mexicano, Premio Príncipe de Asturias 1994, escribió *El Naranjo*?
6.- ¿Qué autor dramaturgo español escribió *El Tragaluz*?

III hist**o**ria

7.- ¿Con qué rey español se realizó la transición a la democracia?
8.- ¿Para qué año se acordó devolver la soberanía de la zona del Canal de Panamá?
9.- ¿Cuántos siglos permanecieron los árabes en España?

A

IV c**a**nción

10.- ¿Qué cantante melódico español de fama internacional jugó en los juveniles del Real Madrid?
11.- ¿Qué gran intérprete del tango rodó películas en Hollywood?
12.- ¿Qué cantante dominicano es conocido como "el rey del merengue"?

V es**c**ultura

13.-¿Qué escultor colombiano es famoso por sus esculturas voluminosas?
14.- ¿Qué escultor español, autor de *Peine del viento*, ha sido nombrado profesor de Harvard?
15.- ¿A quién pertenece la famosa escultura *La Cabra* que se exhibe en París?

VI mú**s**ica

16.- ¿Qué tenor español triunfó en el Metropolitan de Nueva York?
17.- ¿Qué compositor español escribió *El concierto de Aranjuez*?
18.- ¿De qué compositor colombiano es la ópera *La princesa*?

VII geo**g**rafía física

19.- ¿En qué país se encuentra la ciudad de Medellín?
20.- ¿Qué país limita al N con Perú, al NE con Bolivia, al E con Argentina y al O con el océano Pacífico?
21.- ¿Qué tres mares u océanos bañan el Estado Español?

B

VIII cin**e**

22.- ¿Cuál es el nombre artístico de Mario Moreno?
23.- ¿Qué actor español acompaña a Madonna en el reparto de la obra *Evita*?
24.- ¿Qué director de cine español realizó la trilogía *Bodas de Sangre*, *Carmen* y *El amor brujo*?

C

EL CAFETÍN

IX deportes

25.- ¿Qué ciclista español ganó 5 veces el Tour de Francia?
26.- ¿Cuántos títulos mundiales ha ganado el motociclista español Ángel Nieto?
27.- ¿Qué futbolista argentino ha sido considerado el mejor delantero de la década de los ochenta?

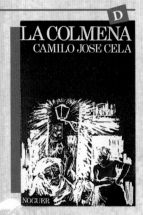

LA COLMENA
CAMILO JOSE CELA
NOGUER

X gastronomía

28.- ¿Qué manjar se conoce como "Pata Negra"?
29.- ¿Cómo se llama el plato guisado con carne, pescado, marisco, legumbres y arroz?
30.- ¿De qué país son típicos los tacos, el mole y los chiles rellenos?

XI premios nobel

31.- ¿Qué Premio Nobel recibió la guatemalteca Rigoberta Menchú?
32.- ¿A qué célebre investigador español se le otorgó el Premio Nobel de Medicina?
33.- ¿Qué escritor mexicano recibió el Nobel de Literatura en 1990?

XII prensa

34.- ¿Cómo se llama la gran agencia pública de noticias española?
35.- ¿Qué organización de carácter social tiene un importante papel en el periodismo español?
36.- ¿Qué cadena privada posee una emisora de televisión vía satélite conocida como Galavisión?

XIII política

37.- ¿Qué escritor peruano fue candidato a la presidencia de su país en 1990?
38.- ¿Qué forma política posee el Estado Español?
39.- ¿Qué presidente español gestionó el ingreso de España en la OTAN en 1982?

XIV diseño y moda

40.- ¿A qué modisto español se debe la invención de los vestidos metálicos?
41.- ¿Qué creador español diseñó la mascota de los Juegos Olímpicos de Barcelona?
42.- ¿Por qué actividad es conocida Carolina Herrera?

XV geografía económico-política

43.- Nombra al menos 3 de las 17 Comunidades Autónomas del Estado Español.
44.- ¿Qué país hispano es tercero en la producción de petróleo entre los países de la OPEP?
45.- ¿En qué región argentina se concentra la mayor actividad ganadera?

¡Para no pegar ojo!

DOCE UVAS, DOCE CAMPANADAS

En España, el 31 de diciembre a las 12 de la noche se retransmiten las 12 campanadas desde el reloj de la Puerta del Sol de Madrid: fin del Año Viejo.
Para tener suerte en el Año Nuevo hay que tomar 12 uvas al compás de las campanadas.

Describe el acto televisivo más característico de tu país con el que se celebra la llegada del Nuevo Año. Indica:

a) en qué consiste el acto.
b) quiénes suelen presentarlo.
c) en qué lugar se realiza.

Comodín

Puedes sustituir cualquier pregunta por esta:
¡Con qué temas se relacionan las imágenes (a, b, c, d y e)?

Aprieta los codos

Escrito Argumentativo

Definición: Su objetivo es aducir razones para apoyar una opinión.

Pautas:

ACTITUD
◆ Huir de la parcialidad intentando ser objetivos.

ESQUEMA
◆ Definir de forma clara y concisa el tema sobre el que uno se va a pronunciar.
◆ Presentar nuestra posición refutando o apoyando lo que se expone.
◆ Aportar razones apoyadas por ejemplos, datos o citas. (Argumentos de autoridad.)
◆ Finalizar con una conclusión personal.

Aspectos Lingüísticos: **Encaminados a dar sensación de objetividad.**

◆ Frases enunciativas. Grupos nominales sin epítetos.
Se evita la utilización del subjuntivo.
◆ Predominio de oraciones subordinadas para exponer los razonamientos con el máximo detalle.
  ◆ Incisos aclaratorios. [( ) , -]
  ◆ Paráfrasis: *esto es, es decir, dicho de otro modo, etc.*
◆ Fórmulas conclusivas: *Consecuentemente, por consiguiente, en definitiva, de este modo, etc.*

Texto leído con acento andaluz.

¿Ha decaído el flamenco?

En absoluto. El flamenco triunfa ahora con todo su poderío y se está convirtiendo en un arte universal. El cante, el toque y el baile han salido ya desde el reducto del tablao a la superficie del mundo.

El arte flamenco ocupa un puesto de honor fuera de nuestras fronteras. Nombres como Paco de Lucía, Antonio Gades, Camarón de la Isla y Joaquín Cortés llenan hasta la bandera teatros de tanto prestigio como el de la Ópera de París, el del City Center de Nueva York o el Shinjjuku-nunka Centre de Tokio.

Cristina Hoyos, la que fuera primera bailaora del Ballet Nacional y pareja de baile durante 20 años de Antonio Gades, opina que "el flamenco ha conseguido tanto éxito gracias a la enorme carga de tragedia, sinceridad y pasión, frente a la mayoría de los bailes, que tienen más técnica que corazón".

Es más, el flamenco es un arte joven que aún no ha dicho su última palabra. Así, podemos citar a nuevos valores como Jerónimo, guitarrista de 14 años que ya ha actuado con Paco de Lucía en Nueva York, y El Potito, de la familia Vargas, y que a sus 15 años ha vendido ya 50.000 copias de su primer disco.

Y es que el flamenco se encuentra en plena fase de evolución, en pleno desarrollo, y le aguarda un futuro prometedor.

Texto adaptado de *LA ESFERA*.

**DELE
superior**

PRUEBA DE PREPARACIÓN AL DELE. EXPRESIÓN ESCRITA. REDACCIÓN.

◆ Escribe una redacción de 150-200 palabras (15-20 líneas).

> *Algunas veces me han preguntado si no me da pena de los toros, y yo digo que lo que realmente me da pena es de ese toro manso, de carne, que está en un establo en un metro cuadrado y de ahí no sale. El toro bravo es un animal que tiene una selección y una crianza especiales para buscar esa nobleza que se le pide. Pero él está toda su vida, sus cuatro años, en el campo, en libertad total, viviendo como un rey. El toro muere en su plenitud y como un guerrero. Por eso a mí hay veces que me gustaría ser un toro.*

> Texto extraído de entrevista al torero Ortega Cano. (Adaptado de *LA ESFERA*.)

Expresa tu opinión sobre la anterior afirmación por medio de un escrito en el que:

◆ Presentes tu postura general sobre el tema.
◆ Refutes o apoyes lo expuesto con:
   Datos, ejemplos, opiniones autorizadas.
◆ Finalices con una conclusión personal

Oraciones Adverbiales (Indicativo/Subjuntivo)

El criterio que se sigue para usar ambos modos es el de "experiencia" frente al de "anticipación" o de "no experiencia".

VP + partícula subordinante + VD (Subjuntivo o Indicativo)

> **Después de que lo hace** se arrepiente. *(Valor experiencia.)*
> **Después de que lo haga** se arrepentirá·. *(Valor de anticipación.)*

PROPOSICIONES TEMPORALES

◆ Nexos:
Cuando, en cuanto, hasta que, después de que, siempre que, nada más que, etc.

> **Hasta que** no llegue su padre no cenará.

◆ Matices de anterioridad, simultaneidad o posterioridad:

> Aseguró que se acercaría **no bien** terminaran el trabajo.

◆ **Antes de que / a que** + Subj.:
Implican siempre un tiempo posterior al de la oración principal.

> Se curará **antes de que** lo **operen**.

◆ **Siempre que** (con valor condicional) + Subj.:

> Seré objetivo **siempre que entienda** tus razones.

PROPOSICIONES CONCESIVAS

◆ Nexos:

Aunque, a pesar de que, y eso que, aun cuando, etc.
Aunque estaré lejos, pensaré en ti.

◆ **Aunque** + Subjuntivo:

(el verbo principal va en Condicional si el hablante desconoce el hecho):
*Aunque la taquillera **estuviera** ahí, **no vendería** las entradas.*

◆ **Por + poco + que** + Subjuntivo:

***Por poco que consiga** mover el coche, podrá salir.*

PROPOSICIONES CAUSALES

◆ Nexos:

Porque, puesto que, ya que, como, dado que, etc.
***Ya que** no riegas las plantas, lo haré yo.*

◆ **Porque** + Subjuntivo

(con valor de duda o de negación de la causa):
*No declaró **porque no lo supiera** sino porque no le interesaba.*

◆ **Porque** + Subjuntivo

(en oración disyuntiva o en distributivas):
*Se echó a llorar; **bien porque** le **apeteciera**, **bien porque no supiera** cómo reaccionar.*

PROPOSICIONES CONSECUTIVAS

◆ Nexos:

Así pues, conque, luego, por consiguiente, por eso, por (lo tanto) …
*No te lo puedo confirmar; **pues** apenas lo veo.*
*No me escribe, **así que** yo no lo llamo.*

◆ **De ahí que / así que** + Subjuntivo

*Están demasiado lejos, **de ahí que no pueda** verlos.*

◆ **De tal modo que / de tal manera que, de tal forma que** + Subjuntivo

(valor final):
*Lo escribí **de modo que** lo **entendieras**.*

---

1 **Pon en pasado el verbo de la oración principal. Comprueba qué cambios sufre la subordinada.**

◆ Aporta su ayuda cuando piensa que es útil.

◆ Mientras te preparas la cena, yo haré la colada.

◆ Ana no come así la castigues.

◆ Por poco que lo trates con cariño, te lo agradecerá.

◆ Si Pablo tiene suerte es porque se la merece.

◆ Antes de que salga el sol, ya estará lejos.

◆ Aunque brille esta piedra, ten por seguro que no es valiosa.

◆ No importa que no te guste el vino siempre que no impidas a los demás beberlo.

◆ A poco que mi familia me eche una mano, podré comprarme esa casa.

Aprieta los codos

2   Sustituye los infinitivos por las formas verbales adecuadas.

◆ Ya que todos (*vosotros, estar*) .... aquí, podemos celebrar la boda.

◆ Lo planificaron demasiado pronto, de ahí que no (*ellos, conseguir*) .... lo deseado.

◆ ¡Ojalá (*tú, ser*) .... mejor compañero, de modo que (*respirarse*) .... un ambiente más sano!

◆ Terminó pronto su intervención para que (*todos, poder*) .... irse pronto a casa.

◆ Por más que (*proponértelo*) .... no se te desprenderá.

◆ Dado que no (*ir, él*) .... a París, ¿dónde estuvo?

◆ Nadie te acusará, excepto que (*tú, comentarlo*) .... con alguien.

◆ Abandonaron su guarida o porque (*ellos, descubrir, a ellos*) .... o porque (*ellos, desconfiar*) ....

◆ La casa se derrumbó porque los cimientos no (*resistir*) ....

◆ Sabía tanto que (*aburrirse*) .... en las clases.

◆ Habla como si (*él, ser*) .... Sócrates.

3   Elige las formas correctas.

◆ Yo te (*dejar*) .... el diccionario siempre que tú me lo (*devolver*) .... antes del examen.

     a. dejaba / hayas devuelto

     b. dejé / devuelvas

     c. dejaría / devolvieras

◆ No porque tú (*ser*) .... extranjera, tienes que (*probar*) .... todas las especialidades culinarias de un país.

     a. eres / probar

     b. seas / probar

     c. fueras / probarías

◆ Cuando Carlos (*haber terminado*) .... la traducción, nos (*avisar*) .... para que (*ir*) .... a recogerla.

     a. haya terminado / avisará / vayamos

     b. terminará / avisará / vayamos

     c. hubiera terminado / avisaría / vayamos

4   Usa indicativo o subjuntivo según convenga.

(Estar-yo) _____ *en la campaña anti-OTAN porque yo no (creer)* _____ *en esto. No creo que el hombre (deber)* _____ *reducirse a lo íntimo. Creo que lo colectivo y solidario (ser)* _____ *imprescindible para salvarnos. Aquí, o nos salvamos todos o no (salvarse)* _____ *nadie. Mientras (haber)* _____ *un hombre que no (ser)* _____ *libre, la libertad no reina en el mundo. Si hay alguien que (poder)* _____ *pensar que no importa que los hombres (estar)* _____ *gobernados por regímenes despóticos, el ser humano es una cochambre.*

Texto de A. Gala. (Adaptado de *LA ESFERA.*)

CON CHISPA

1

Completa los textos con las siguientes palabras:

Alambre, aporrear, autoridad, basura, calaveras, competencia, locales, hebillas, reclutar.

A continuación escribe una frase con las palabras subrayadas.

a) **Los camareros de "after-hours":** Muy guapos y modernos. Se los _____ en _____ de moda.

b) **El escritor:** Es más fácil _____ un instrumento que escribir, por lo que la _____ en el campo literario es mínima.

c) **La pareja de artesanos:** En lugar de bicicletas de _____ hacen anillos de _____, pantalones de cuero y _____ de serpiente.

d) **El crítico de cine** _____: Basta con ver 30 películas para serlo. Así que cualquiera que tenga vídeo puede llegar a ser una _____ en la materia.

Adaptado de El País.

2

Según el diccionario, Argot es una voz francesa de origen desconocido, cuyo significado equivale a "jerga" o "germanía". Designa en general cualquier lenguaje debido a la acción ejercida por un ambiente cerrado, sus costumbres y tradiciones.

Busca el significado de los siguientes términos del habla jergal en la columna de la derecha y a continuación inventa un diálogo.

METRO

El tubo	Un reloj
El peluco	La propina en el bar
El loro	El metro
El bote	La cazadora
La chupa	Un amigo
La piba	Un radio - cassette
La basca	Una gran cantidad de algo
Un talego	La chica con la que se sale
Un chorizo	Mil pesetas
Un camello	Un ladrón
Un tronco	Un grupo de amigos y conocidos
Un chollo	Un traficante de drogas
Una libra	Una buena oportunidad
Una pirula	Una mala jugada
Mogollón	Cien pesetas

ayer de...

Texto leído con acento andaluz.

150 AÑOS DE FERIA

LAS FIESTAS LA FERIA DE ABRIL

Esta fiesta que ahora pasa por "la más típica no la hay", fue el **invento** de un empresario vasco, don José María Ybarra, y un industrial catalán, don Narciso Bonaplata, **vecinos** de Sevilla los dos, y concejales liberales del Ayuntamiento isabelino (bajo el reinado de Isabel II, que la Isabelona era muy feriante...).

La feria celebra su centenario en 1.947. Es el gran invento de la imagen romántica de Andalucía que **acuñaron** los viajeros extranjeros, de Merimée a Borrow, y que continúa con una voluntad expresa de perpetuación del tipismo. Porque la feria es la gran representación de la ciudad hacia el exterior. Es la fiesta que los sevillanos hacen para representarse ante los demás como una Expo del tipismo de raíz romántica.

Su carácter de **mercado** fue apenas un pretexto para sus creadores. Los historiadores señalan que a los diez años de su fundación ya prevalecía la fiesta sobre el aspecto económico que había hecho crearla a Ybarra y Bonaplata. Aunque no haya mercado de ganado hace mucho tiempo, la feria ha tenido mucho de mercantil y de comercial. La feria le hace las relaciones públicas a Sevilla.

Frente a la caseta familiar o a la caseta de peñas, no hay institución que no esté presente. Hay que **estar y ser visto** si se quiere ser alguien en la ciudad. Si no se tiene caballo, se alquila, si se quiere exhibir riqueza, se **engancha** un coche de caballos. Todo el que quiere integrarse en Sevilla lo hace por medio de la feria. Los famosos de cada momento se beneficiaron de su imagen, y a la recíproca, ellos también chuparon rueda de coche de caballos (Jacqueline Kennedy, Grace de Mónaco, Orson Welles...). **Abrió sus puertas** a todo lo que fue el poder de cada instante. Allí lo mismo está la multitud con Franco que con la Reina Victoria, apenas un año antes del 14 de Abril en que en Sevilla triunfó la candidatura republicana.

Texto de A. Burgos.
(Adaptado de *El Mundo*.)

Lo has entendido

⟨1⟩ Sustituye las palabras en negrita por otras de sentido análogo.

⟨2⟩ Relaciona los párrafos que aparecen en el texto con los siguientes epígrafes.

a. Valor turístico **b.** Valor social **c.** Origen **d.** Tradición

Párrafo 1:_____ Párrafo 2:_____ Párrafo 3:_____ Párrafo 4:_____

Lo has entendido

⟨3⟩ Contesta con verdadero y falso :

- La Feria empezó a celebrarse en 1947.
- Sus fundadores fueron un empresario catalán y un industrial vasco.
- Su origen se debe a la celebración de un mercado de ganado.
- Una forma de exhibición de riqueza es tener un caballo.
- Si uno quiere integrarse en la sociedad sevillana lo hace por medio de la Feria.
- La Feria no tiene color político.

⟨4⟩ Elige la opción adecuada:

- **Chupar rueda de coche de caballos es:**
  a) Estar muchas horas en un coche de caballos.
  b) Ir andando tras un coche de caballos largo rato.
  c) Beneficiarse de la publicidad que da ir en coche de caballos.

- **Isabel II era muy feriante:**
  a) Le gustaba ir de feria en feria.
  b) Le gustaban las ferias.
  c) Su carácter era muy abierto.

- **La Feria le hace las relaciones públicas a Sevilla:**
  a) A ella acuden muchas relaciones públicas.
  b) El evento atrae al turismo.
  c) Los organizadores hacen las veces de relaciones públicas.

- **La perpetuación del tipismo es:**
  a) La perpetuación de un tipo de mujer sevillana.
  b) La perpetuación de una característica típica.
  c) El no ver el fin del tipismo.

- **La caseta de peñas es:**
  a) Una barraca hecha con piedras.
  b) Una casita donde se reúne un conjunto de personas.
  b) El puesto de cada peña de aficionados.

⟨5⟩ ## Fiestas de verano:

"Los hombres del mar honran a su patrona con un paseo nocturno."

El pueblo de Fuengirola festeja el 16 de Julio, día de la Virgen del Carmen, con una procesión marítima. Por la noche, fornidos marineros sacan a hombros a la Señora, rodeándola de flores, y la pasean por las aguas.

Con motivo de las fiestas de San Luis Beltrán, el último miércoles de agosto, Buñol celebra La Tomatina en su Plaza Mayor. El origen de esta batalla de tomates fue la disputa que unos jóvenes tuvieron tras una noche de juerga en los años treinta. El ayuntamiento suministra miles de kilos de tomates.

Si se ahogan las iras en tomate, la vida cobra otro color.

Con apenas siete pasos mágicos se puede vencer al fuego

A las 12 de la noche del 23 de Junio, víspera de San Juan, comienza en el pueblo soriano de San Pedro Manrique el Paso de Fuego. Sobre una alfombra de brasas, algunos sampedranos cumplen una promesa y caminan con los pies desnudos, cargando a otra persona en sus espaldas.

(Texto adaptado de Geo.)

Apoyándote en los modelos anteriores, describe oralmente una fiesta típica en la que hayas participado. No utilices más de 70 palabras. Especifica el origen, el lugar y los actos más característicos.

Prefijo y Sufijo

Definición de Prefijo: Partícula sin significado independiente, que va unida inseparablemente a una palabra, al principio de ella.

PRINCIPALES PREFIJOS

- **a- , an**: Indican negación de la cualidad relativa al nombre. (Significan sin.)
  normal / anormal

  Delante de vocal utilizamos **an-** .
  analfabeto, anaerobio

- **ab-**: Expresa separación o exclusión, intensidad o exceso de acción.
  abusar, absorber

- **ad-**: Indica proximidad o acercamiento.
  adjuntar, admirar

- **ante-**: Indica anteposición.
  anteayer, anteproyecto

- **per–**: Refuerza el significado del nombre.
  pertinaz, perseguir

Definición de Sufijo: Partícula que se coloca pospuesta en el lugar de la desinencia del nombre, o en lugar de un sufijo ya existente. Los sufijos modificadores del nombre se dividen en: aumentativos, diminutivos y peyorativos.

AUMENTATIVOS

- **-acho, -acha, -achón**
  ricachón, hombracho

- **azo, -aza, -azón**
  perrazo, tazón

- **-ón, -ona**
  grandón, chicarrona

- **-ote, -ota**
  angelote, palabrota

DIMINUTIVOS: En muchos casos se utilizan con carácter afectivo.

- **-cito, -cita**
  cochecito, mujercita

- **-ín** (sufijo muy frecuente en Asturias y Castilla)
  chavalín, pequeñín

- **-zuelo, -zuela** (a veces expresa matiz despectivo)
  ladronzuelo

- **-ito, -ita**
  pequeñito, casita

- **-ino, -ina** (sufijo característico de Extremadura)
  perrino, chaquetina

Aprieta los codos

PEYORATIVOS: Con significado de desprecio.

◆ **-aco, -aca**
> pajarr**aco**

◆ **-acho, -acha**
> puebl**acho**, popul**acho**

GENTILICIOS: Son los sufijos que designan a los habitantes de un país, de una región o de una ciudad.
Predominan las terminaciones: **-ano, -eño, -ino, -és**.
> sevill**ano**, carib**eño**, argent**ino**, barcelon**és**, etc.

SUFIJOS MÁS USADOS: Sufijos nominales, descriptivos, intensificadores, etc.

◆ Sufijos **nominales**: Sirven para formar palabras nuevas, derivadas de otras. Los principales son:

> ◆ **-ado**. Expresa:
> Empleo.   abog**ado**
> Tiempo.   rein**ado**
> Forma.   redonde**ado**
> ◆ **-al**. Indica lugar de donde procede el primitivo.
>> arroz, arroz**al**; pera, per**al**
> ◆ **-ido**. Expresa sonido o voces de animales.
>> chirr**ido**, rug**ido**
> ◆ **-ismo**. Expresa doctrina, secta o sistema.
>> surreal**ismo**, comun**ismo**

◆ Sufijos **descriptivos**: Sirven para formar palabras descriptivas. Los principales son:

> ◆ **-ido**. Indica cualidad o propiedad.
>> palidec**ido**, gél**ido**
> ◆ **-izo, -iza**. Denota semejanza, actitud o propensión.
>> enferm**izo**, cobr**izo**, escurrid**izo**

◆ Sufijo **intensificador** -ísimo: Sufijo que da sentido superlativo al significado de las palabras:
> grand**ísimo**. bell**ísimo**.

◆ Sufijo -mente: Sufijo muy utilizado, que añadido a un adjetivo lo convierte en adverbio y significa "de manera":
> cortés**mente**, prematura**mente**.

Cuando se usan dos o más adverbios acabados en -mente, es aconsejable que el sufijo sólo aparezca en el último:
> Viajamos tranquila, rápida y cómoda**mente**.
> (= Viajamos tranquila**mente**, rápida**mente** y cómoda**mente**.)

Aprieta los codos

1 Busca el gentilicio de estos lugares.

- Guatemala
- Salamanca
- Cuenca
- Nicaragua
- Costa Rica
- Portugal
- Palencia
- Lima
- Tenerife
- Valladolid
- Venezuela

2 De la lista de palabras siguientes:

a) Separa el prefijo o sufijo.
b) Relaciónalos con los significados de la columna de la derecha.

1. Antigripal	a) Antes, delante
2. Democracia	b) Por encima de lo normal
3. Hipersensible	c) Dos veces
4. Antropófago	d) Miedo a
5. Descafeinado	e) Poder
6. Prehistoria	f) Que come
7. Claustrofobia	g) Que mata
8. Bisabuelo	h) Sin
9. Hemisferio	i) Contra
10. Insecticida	j) Medio

3 Indica el valor que poseen los diminutivos utilizados en las siguientes frases:

a) Valor de pequeño.
b) Valor de afecto.
c) Valor de desprecio.

•*No parece que estos musiquillos callejeros hayan hecho la carrera de piano en el Conservatorio.*
•*El chiquillo que vende pañuelos de papel no está ahí por gusto.*
•*No le falta de nada: collarcito de perlas cultivadas, bisutería fina en los dedos gordezuelos como cuernecitos de croissant.*
•*Miró por la ventanita de la quinta planta y decidió que, pese a todo, tenía motivos para no saltar.*
•*Algunos han puesto tiendecitas modestas donde venden el género.*
•*La gente lleva el cochecito al taller con más angustia que la mujer a la Maternidad o el abuelo a Urgencias.*

Frases de M. Hidalgo (Adaptadas de *Todos vosotros.*)

¡ Arriba el telón !

DonJuan

Todos somos Don Juan o Doña Juana. Posiblemente existe en todos nosotros un deseo de seducir al conjunto del sexo opuesto.

En ocasiones experimentamos los mismos vivos deseos de libertino, pero carecemos del valor necesario para hacerlos realidad. La mayoría de las personas aceptan la trivialidad de la vida, y esto los hace héroes. Don Juan es un simple héroe en vacaciones porque no lo acepta.

(Anthony Burgess)

TIRSO DE MOLINA
EL BURLADOR DE SEVILLA
Edición Ignacio Arellano
COLECCIÓN AUSTRAL

José Zorrilla
Don Juan Tenorio
Edición de Aniano Peña
CÁTEDRA
Letras Hispánicas

GONZALO SUAREZ
DON JUAN EN LOS INFIERNOS

visionado

FÍJATE ATENTAMENTE EN LAS IMÁGENES Y PALABRAS DE ESTE VÍDEO.

Lo has entendido

1 Relaciona el carácter de la música con las escenas que aparecen en el vídeo.

MÚSICA	ESCENAS
a. Misteriosa	**1.** Interior sombrío **5.** Pasadizos
b. Ecléctica	**2.** Grabados antiguos de Sevilla **6.** Escena de ballet
c. Solemne	**3.** Representación escultórica **7.** Grabados de cortejo
d. Cortesana	de Tirso de Molina **8.** Sala con velos
e. Apasionada	**4.** Casas solariegas

2 **a.** Subraya los adjetivos con los que definirías la ciudad antigua de Sevilla:
amurallada, caótica, activa, industrial, populosa, marítima, alegre.

b. ¿Qué monumentos de Sevilla reconoces en las imágenes del vídeo?

3 ¿Qué puede simbolizar el color "rojo" del bailarín que interpreta a D. Juan?
¿Qué color le pondrías tú? Justifica tu respuesta.

4 ¿Quién es Don Juan?

a. Busca tres adjetivos para cada una de las siguientes características de Don Juan:

- Buena posición. (Le llamaban "Don".)
- Atractivo físico.
- Capacidad de improvisación.
- Eficaz en el halago.
- Sabe salir de cualquier situación.
- Seductor sin pausa.

¡Para **no** pegar ojo!

Haz el retrato de Don Juan en tu país. Básate en:

Aspecto físico : color de pelo, ojos, estatura, constitución física.
Edad: joven, maduro...
Vestimenta: deportiva, clásica...
Trabajo: empresario, modelo, electricista...
Hábitos: deportes, diversión, cultura...
Lugares frecuentados: fiestas, eventos culturales...
Tipo de coche: deportivo, familiar...
Situación familiar: soltero, casado, divorciado...

Busca tu Don Juan

b. Da tu opinión sobre las siguientes valoraciones respecto a la personalidad de Don Juan:

- Don Juan es la encarnación de los instintos del varón.
- A Don Juan sólo le importa mantener y multiplicar su actividad de seductor.
- Don Juan no ama, utiliza a las mujeres.

c. ¿Existe Doña Juana?
¿Qué características tendría o tiene la equivalente femenina de Don Juan ("Doña Juana")?
¿Cuáles serían sus diferencias fundamentales?

5 ## Profundiza.

a. A partir de las escenas de cortejo amoroso situadas en el jardín o en la reja, recrea un diálogo apoyándote en las siguientes expresiones :

● Arder en deseos de	● No hacerse ilusiones	● Pedir la mano
● Dar tiempo al tiempo	● Pasar las noches en blanco	● Cortejar
● Halagar	● Hacerse de rogar	● Tener manía a
● Ser un buen partido	● No poder resistir	● Estar dispuesto a

b. ¿Crees que Don Juan es un personaje *latino*? Justifica tu respuesta.

c. ¿Qué quiere decir *ser un tenorio*? ¿De dónde viene esta expresión?

Aprieta los co*d*os

La Coordinación

Unión de proposiciones del mismo nivel - principales o subordinadas - por los siguientes tipos de enlaces:

COPULATIVOS:
Nexos: **y**, **e**, **ni**, **que**, **amén de**, **además de**, etc.
- ◆ No tienen ningún tipo de relación entre sí, van sumando significados.
  - *Ni llora, **ni** ríe. Dale **que** dale.*
  - *Se quedó traspuesto **y** [por eso] se pasó de estación.*

EXPLICATIVOS:
Nexos: **es decir**, **como si dijeran**, **a saber**, **mejor dicho**, **o sea**, etc.
- ◆ La siguiente proposición aclara la anterior.
  - *Anoche lo castigaron, **es decir**, lo dejaron sin cena.*

DISYUNTIVOS:
Nexos: **o**, **u**, **o bien**, etc.
- ◆ Expresan una opción entre varias posibilidades, que pueden excluirse entre sí.
  - *Tu verás si me lo prestas **o** me lo regalas.*
- ◆ Valor explicativo de **o**.
  - *Estudia la especialidad médica que se ocupa de las enfermedades de los niños **o**, lo que es lo mismo, pediatría*

ADVERSATIVOS:
Nexos: **pero**, **aunque**, **más bien**, **a pesar de**, **con todo**, **sin embargo**, **no sólo… sino**, etc.
- ◆ Sirven para corregir, limitar o graduar.
  - *No es leal, **con todo** sigue siendo mi amiga.*

DISTRIBUTIVOS:
Nexos: **ya….ya**, **tan pronto…como**, **unos…otros**, **bien…bien**, etc.
- ◆ Forman una correlación de acciones que no se excluyen.
  - ***Tan pronto** dice hoy **como** dirá mañana.*

---

1 Sustituye los infinitivos por la forma verbal adecuada y define las proposiciones coordinadas (disyuntivas, adversativas, copulativas…).

- ◆ Unas veces (*decir, él*)………… que (*estar, él*)………… a dieta, y otras que lo (*dejar, él*)…………

- ◆ No (*irnos, nosotros*)………… a Sevilla, sino a Málaga.

- ◆ O (*quedarse, ella*) ………… o (*irse, ella*) …………

- ◆ (*Pararse, nosotros*) ………… estudiando hasta altas horas de la noche y al día siguiente no (*despertarse, nosotros*) …………

- ◆ (*Trabajar, tú*) ………… en el teatro, pero no (*ser, tú*) ………… una profesional.

- ◆ Este cuadro ni (*ser*)………… auténtico ni (*ser*) …………costosísimo.

- ◆ Tan pronto (*reírse, vosotros*) ………… como (*llorar, vosotros*)…………

Palabras escri*t*as por...

Creo que la fascinación de los libros de juventud de J.L. Borges se debe, en gran parte, a que nos permiten comprobar de qué modo, como el flujo y el reflujo del mar, están presentes siempre su apego a lo criollo, a la pampa, al suburbio.

De María Kodama.

Texto leído con acento uruguayo.

Las coplas criollas

Una de **las tantas** virtudes que hay en la copla criolla es la de ser copla peninsular. Con sólo un par de tijeras y los cinco volúmenes de cantos populares españoles que don Francisco Rodríguez Marín publicó en Sevilla, me atrevería yo a rehacer el "Cancionero rioplatense" de Jorge Furt. Sus **requiebros**, sus **quejumbres** de ausencia, su **altanería**, sus estrofas eróticas, no son de raíz hispana: son de raíz, tronco, leña, corteza, ramas, ramitas, hojarasca, frutos y hasta nidos hispánicos. Pasaré de lo jardinero a lo monedero y lo diré otra vez: son **calderilla** castellana que pasa por cobres argentinos y a las que no hemos borrado el leoncito.

Todavía queremos y **padecemos** en español, pero en criollo sabemos alegrarnos y **hombrear.**

Una cosa es indesmentible. Al acriollarse la copla **sentenciosa** española pierde su **envaramiento** y nos habla de igual a igual, no como el importante maestro al discípulo. Transcribo una copla, de esas que lo sermonean al auditorio:

> Querer una no es ninguna,
> querer dos es vanidad,
> y querer a tres y a cuatro
> eso sí que es falsedad.

Aquí está la variante criolla, conforme en la provincia de Buenos Aires suelen contarla:

> Querer una no es ninguna,
> querer dos es vanidá,
> el querer a tres o cuatro
> ya es parte de habilidá.

Texto de J.L. Borges. (Adaptado de *El tamaño de mi esperanza*.)

Palabras escritas por...

1.- Sustituye las palabras marcadas por un sinónimo.

2.- ¿Cómo y dónde se refleja el "hombrear" criollo?

3.- Partiendo de alguna de estas coplas o de la del texto, transfórmalas dándoles otro matiz (jocoso, irónico, provocador...) que exprese algún rasgo característico de la forma de ser de tu país.

COPLA CRIOLLA

Cantando me he de morir,
cantando me han de enterrar,
cantando me he de ir al cielo,
cantando cuenta he de dar.

COPLA PENINSULAR

Esta noche ha de llover
que esté raso, que esté nublo:
ha de llover buenos palos
en las costillas de alguno.

4.- ## Ecos hispanos: Cruces de Culturas y Raíces lejanas

Si el mundo americano se caracteriza por la gran diversidad de sus gentes y la complejidad de sus culturas, todo ello aumenta espectacularmente en la región caribeña, donde las poblaciones de origen africano, amerindio y europeo se entremezclan.

Uno de los aspectos que más llama la atención en el mundo caribeño es la calidad y variedad de sus ritmos musicales. Cada isla ha desarrollado su propio estilo, según sus orígenes étnicos. Así tenemos que en Trinidad y Tobago nació el calipso, ritmo que se consigue con redobles sobre pequeños barriles de petróleo. En la República Dominicana tiene su origen el merengue, ritmo marcado por la tambora, a la que posteriormente se añadieron maracas, cencerros y otros instrumentos que dan lugar a una música sensual.

La Esfera.

1.- **Contesta con verdadero o falso:**

a) Según el texto, en la región caribeña se entremezclan las poblaciones de origen europeo y asiático.

Verdadero ☐ Falso ☐

b) Las etnias han jugado un papel importante en el nacimiento de diferentes ritmos musicales.

Verdadero ☐ Falso ☐

c) El calipso se baila sobre barriles de petróleo.

Verdadero ☐ Falso ☐

d) El merengue contiene un mensaje apasionado

Verdadero ☐ Falso ☐

2.- **¿Sabes dónde se dan estos bailes?**

el chotis _____

el tango _____

la cueca _____

la sardana _____

el merengue _____

¡Para no pegar ojo!

Describe un baile típico de tu país o región.

● Instrumentos utilizados

● Temas que tratan

● Trajes utilizados

● Ritmo

Índice de autores

JORGE LUIS BORGES

(Buenos Aires, 1899 - Ginebra, 1986). Poeta, narrador y ensayista argentino. Recibió el Premio Internacional de los Editores (1961); el Interamericano de Literatura (1970), máxima distinción literaria del Brasil; el Cervantes de Literatura (1979); el mexicano Xollin Yolitzi (1983).

En España, conoció a Cansinos Assens, Gómez de la Serna y Gerardo Diego, además de entrar en contacto con el ultraísmo. Sus primeras obras fueron de poesía (**Fervor de Buenos Aires**, 1923; **Luna de enfrente**, 1925; y **Cuaderno de San Martín**, 1929), y no dejó de escribirla (**El hacedor**, 1960; **El otro, el mismo**, 1964; **Elogio de la sombra**, 1969; **El oro de los tigres**, 1972; **La cifra**, 1981; y **Los conjurados**, 1985). De sus ensayos cabe citar **Inquisiciones** (1925), **El idioma de los argentinos** (1928), **Historia de la eternidad** (1936) y **Otras inquisiciones** (1952). La narrativa le dió la fama mayor con **Historia universal de la infamia** (1935), **El jardín de los senderos que se bifurcan** (1941), **Ficciones** (1944), **El Aleph** (1949), **El informe de Brodie** (1970) y **El libro de arena** (1975).

Ciego desde 1955, contrajo matrimonio con María Kodama.

ANTHONY BURGESS

Nació en Manchester, 1917. Fue profesor de literatura y fonética y compositor de música. Desde 1959 produjo una extensa obra narrativa y de ensayo. Destacan **La naranja mecánica**, a la que dió extraordinaria fama la película del mismo nombre, **Sinfonía napoleónica** y **Poderes terrenales**. Murió en Mónaco en 1993.

MANUEL HIDALGO

Nació en Pamplona en 1953. Es periodista, crítico y guionista de cine. Actualmente es responsable del **Magazine** de El Mundo. Ha escrito los guiones de **La mujer del prójimo,** de José Fonseca (Colón de Oro del Festival de Cine de Huelva), y de **Una mujer bajo la lluvia**, de Gerardo Vera. Ha publicado tres novelas: **El pecador impecable** (1986, llevada al cine), **Azucena, que juega al tenis** (1988) y **Olé** (1991).

RAY LORIGA

Nació en 1967 y reside en Madrid. Debutó con la novela **Lo peor de todo** (1992). Su consagración llegó con **Héroes** (1993). **Caídos del cielo** (1993) es su última novela.

PRUEBA 1: COMPRENSIÓN DE LECTURA

EJERCICIO PRIMERO

Liberto Rabal, futura estrella cinematográfica del 2000, es entrevistado en la revista *ELLE*. En la COLUMNA A, están las preguntas de la entrevistadora y en la COLUMNA B, las respuestas que dio Liberto Rabal. Debe relacionar cada pregunta de la columna A con su respuesta de la columna B.

COLUMNA A

A ¿Y dónde hurgas cuando te mandan que saques una mirada húmeda?

B ¿Qué te ha enseñado Paco Rabal?

C ¿Eres más fértil escribiendo cuando estás deprimido?

D ¿Ya ha decidido qué tipo de actor quieres ser?

E Desde pequeño ¿querías escribir como tu abuela, la novelista Carmen Laforet?

COLUMNA B

1 Ella está en su mundo. Me encanta hablar con ella. Me da paz. Puede que lo que vives en casa tire de ti. Pero yo escribo desde los 3 años.

2 Deprimido me salen cosas trágicas. Pero me gustan los bajones, estar mal, luego un poco mejor, y al final te vas bajo la lluvia y dices: 'Mucho mejor'.

3 Depende, un día haces un ejercicio técnico y no pasa nada y otro estás pensando en la pizza que te vas a comer...

4 A colocar la voz. Me da clases de verso: Don Juan Tenorio, La vida es sueño. Porque decir el verso es complicado, tiene una musicalidad y un ritmo, y eso hay que aprenderlo.

5 A lo mejor decido ser un actor dramático y la gente se "descojona", o cómico y lloran desconsoladamente.

PRUEBA 2: EXPRESIÓN ESCRITA

Véase *Aprieta los codos*: Redacción (pág. 119).

PRUEBA 3: COMPRENSIÓN AUDITIVA

A continuación escuchará un comentario sobre una nueva "terraza" empeñada en promocionar lo Español. Texto de **M. Estrella. (Adaptado de *Metrópoli*.)**

PREGUNTAS

1 La grabación informa de que el local de la C/Conde Duque ha subido por los peldaños hasta lo más alto.
a) Verdadero.
b) Falso.

2 Según la grabación los precios son tan ajustados como para hartarse de copas.
a) Verdadero.
b) Falso.

3 En la grabación se dice que el dueño quiere dar impulso a la noche sin engañar a nadie.
a) Verdadero.
b) Falso.

4 Según la grabación el deseo de una noche de verano es ir a Londres.
a) Verdadero.
b) Falso.

SECCIÓN I: TEXTO INCOMPLETO

Complete el siguiente texto eligiendo para cada uno de los huecos una de las tres opciones que se le ofrecen.

TEXTO

ORIGEN HISTÓRICO

Los toros son una de las ___1___ españolas más conocidas en todo el mundo, aunque al mismo tiempo una de las más polémicas.

Esta fiesta no existiría si no existiese el *toro bravo*. El origen de esta raza de toros lo ___2___ en el primitivo *urus* o *bos* que no habitó exclusivamente en España, pero sí es en este país donde encontró su preferido ___3___ conservándolo hasta nuestros días. En otras regiones, donde también había habitado en tiempos muy remotos, terminó siendo una especie exterminada, por considerarse una variedad zoológica arcaica.

Ya en la Biblia encontramos ___4___ al sacrificio de toros bravos en holocausto de la divina justicia, considerándose al toro como símbolo de fortaleza, fiereza y ___5___ . Y de este modo encontramos igualmente referencias a los holocaustos religiosos que celebraban los iberos. En ellos sacrificaban a los toros bravos ___6___ en espectáculos públicos. Se considera otro importante precedente histórico a los ejercicios de la caza del uro en la que se dieron los primeros enfrentamientos en los que más importante era la habilidad y ___7___ que la propia fuerza física. Es quizás en estas tradiciones tan antiguas donde podemos encontrar el origen de las corridas de toros.

Se ha considerado frecuentemente que el origen de la Plaza, Redondel o Coso, como queramos ___8___ , se encuentra en el circo romano. Sin embargo parece aún más cierto que se ___9___ a épocas mucho más antiguas, ya que los templos celtibéricos, donde se celebraban sacrificios de reses ___10___ en honor de sus dioses tenían esta forma.

www.red2000.com/spain/toros

OPCIONES

1
a) leyendas
b) tradiciones
c) creencias

2
a) topamos
b) imaginamos
c) encontramos

3
a) asentamiento
b) instalación
c) edificación

4
a) certificaciones
b) atestados
c) referencias

5
a) provocación
b) acometividad
c) agresividad

6
a) desafiándoles
b) mostrándoles
c) poniéndoles

7
a) la potencia
b) el arte
c) la destreza

8
a) apodarlo
b) denominarlo
c) señalarlo

9
a) remonta
b) asciende
c) supera

10
a) animosas
b) decididas
c) bravas

SECCIÓN 2: SELECCIÓN MÚLTIPLE

En cada una de las frases siguientes se ha marcado con letra *negrita* y *cursiva* un fragmento. Elija entre las tres opciones de respuesta, aquella que tenga un significado equivalente al del fragmento marcado.

1 Aunque nadie le invite, siempre se presenta *por la cara*.

a) porque es guapo
b) porque no tiene vergüenza
c) porque ya le conocen

2 Desde que se quedó solo, la casa *se le cae encima*.

a) es muy grande para él
b) está abandonada
c) le angustia

3 Cuando tuvo que presentar en público su obra, *se puso de mil colores*.

a) sintió felicidad
b) sintió vergüeza
c) sintio humillación

4 Hasta que supe que no le había pasado nada, *tuve el corazón en un puño*.

a) estuve tranquilo
b) estuve angustiado
c) estuve esperando

5 Ha cometido una infracción pero se niega a pagar la multa porque *tiene las espaldas bien cubiertas*.

a) suficientes recursos económicos
b) un buen seguro de accidentes
c) un amigo influyente

6 *Me da mala espina* que no nos lo haya comunicado personalmente.

a) me entristece
b) me enfada
c) me preocupa

7 Desde que se separó tiene *mala estrella*.

a) problemas sentimentales
b) un futuro negro
c) mala suerte

8 Me ha comentado que se irá tres semanas a Canarias y otras tres a Tierra de Fuego de vacaciones, pienso que *se ha tirado un farol*.

a) derrocha grandes cantidades de dinero
b) presume de lo que no es
c) se ha confundido

9 El domingo, después de un agotador fin de semana, *se acuesta con las gallinas*.

a) se acuesta al amanecer
b) se acuesta pronto
c) no se acuesta en su casa

10 A pesar de su timidez *tiene gancho* con sus clientes.

a) utiliza algún anzuelo
b) tiene poder
c) posee atractivo

SECCIÓN 3: DETECCIÓN DE ERRORES

A continuación le presentamos dos textos. En ellos, debe Vd. detectar un total de cinco errores. Estos errores se han distribuido al azar, de manera que puede haber, por ejemplo, 4 en el primer texto y uno en el segundo; o 2 en el primero y 3 en el segundo.

La sensación de niño estaba fundamentalmente la de estar desarmado, y desde las mañanas de las que estoy hablando, la sensación era la misma, pero peor, como estar desarmado para siempre.

La	sensación	de	niño	estaba	fundamentalmente	la	de	estar	desarmado,	y	desde	las
1	2	3	4	5	6	7	8	9	10	11	12	13

mañanas	de	las	que	estoy	hablando,	la	sensación	era	la	misma,	pero	peor,
14	15	16	17	18	19	20	21	22	23	24	25	26

como	estar	desarmado	para	siempre.
27	28	29	30	31

Yo no quería ser pesimista. Por hecho ser pesimista era lo último que quiera en el mundo, pero todo lo que pensaba antes de quedarme dormido era triste, porque no pensaba en mejorías sustanciales.

Adaptado de R. Loriga (*Héroes*)

Yo	no	quería	ser	pesimista.	Por	hecho	ser	pesimista	era	lo	último	que
32	33	34	35	36	37	38	39	40	41	42	43	44

quiera	en	el	mundo,	pero	todo	lo	que	pensaba	antes	de	quedarme	dormido
45	46	47	48	49	50	51	52	53	54	55	56	57

era	triste,	porque	no	pensaba	en	mejorías	sustanciales.
58	59	60	61	62	63	64	65

AUDITIVOS DELE

DIPLOMA SUPERIOR DE ESPAÑOL
COMO LENGUA EXTRANJERA

TRANSCRIPCIÓN DE PRUEBA 3

COMPRENSIÓN AUDITIVA.

LA JUVENTUD Y LA ANOREXIA (página 28)

Entrevistadora

¿Es Londres la ciudad adecuada para el tipo de investigación que realiza?

Elena Ochoa

Sí, hay varios centros en el mundo: San Diego, Nueva York, Jerusalén, entre otros, y The Mandsley Hospital es uno de los más reputados; aquí hay líderes en la investigación sobre Alzheimer. Profesionalmente, en Londres me encuentro integrada.

Entrevistadora

Entonces, ¿es su ciudad?

Elena Ochoa

Soy de la ciudad donde vivo. Cuando viví en Los Ángeles, mi ciudad era Los Ángeles, cuando viví en Cambridge mi ciudad era Cambridge, ahora mi ciudad es Londres; mi vida, mi trabajo y mis relaciones están aquí.

Entrevistadora

Pasemos a hablar de su guía. Los nuevos cánones de belleza son chicas casi en los huesos. ¿Las revistas de moda...?, ¿la publicidad...? ¿Quién tiene la culpa de que la belleza y la anorexia hoy se den la mano?

Elena Ochoa

Las causas son muy variadas, no culpemos sólo a las revistas o a la publicidad. La ausencia de autoestima y de amor podrían también desencadenar una bulimia.

Entrevistadora

Me temo que su libro no sea más que un grano de arena en el desierto.

Elena Ochoa

Es un grano de arena, pero no en el desierto; espero que se meta en el ojo de los adolescentes y de sus padres y les moleste lo suficiente hasta que no quede más remedio que hacerle un poco de caso al asunto. Porque no es una tontería, sino una tragedia, y a veces mortal.

Entrevistadora

El problema hoy es que los padres parecen también andar a la deriva, sobre todo porque desconocen el lenguaje de aproximación de sus hijos adolescentes. ¿Ya no hay normas que valgan?

Elena Ochoa

Cuando llega la adolescencia, para reafirmarse, los jóvenes suelen renunciar a lo que han aprendido. Sólo el diálogo y la comunicación, junto con la tolerancia y el respeto, pueden evitar la ruptura entre padres e hijos. Y aún cuando no se comparta nada, ni el lenguaje, creo que la relación se puede salvar si queda respeto.

Entrevistadora

Quizá sería mejor que su guía se regalara en las discotecas.

Elena Ochoa

No creo que sea el lugar idóneo. Sí lo serían las puertas de colegios, de gimnasios, de escuelas de ballet, o en los primeros cursos de las universidades... Hay sitios donde esta guía sería útil, y lo digo sin temor a equivocarme.

Entrevistadora

Tanta relación con los profesionales de su medio, ¿le ha llevado a visitar alguna vez a un psiquiatra?

Elena Ochoa

Innumerables veces. Siempre a las cinco y para tomar el té.

Entrevistadora

Doctora Ochoa, le agradecemos su tiempo por habernos concedido esta entrevista, y le deseamos que la guía tenga éxito y sea útil a muchas personas. Gracias y buenas tardes.

Adaptado de *Marie Claire*.

UNIDAD 2: **muy** LA PUBLICIDAD

PUBLICIDAD EN INTERNET (página 54)

En las sociedades que adoptaron el modo de producción capitalista, el momento del consumo dentro del circuito de la producción es fundamental, en tanto que es allí donde se completa el proceso, donde se puede realizar la expansión del capital y reproducirse la fuerza de trabajo, permitiendo que se reinicie el circuito.

La publicidad entra en este circuito jugando un papel muy importante, ya que desarrolla diversas estrategias para inducir al consumo de determinados productos y servicios. Pero más allá de su relevancia en el plano económico, la publicidad cumple una función simbólica fundamental. Para empezar, la publicidad se ofrece a sí misma como un objeto de consumo, y como tal tiene la característica de ser el único producto democrático y universal, dado que es el único producto que está verdaderamente al alcance de todos. Por su capacidad de llegar a todos puede crear la ilusión de que la plena satisfacción del consumo es posible, generando necesidades bajo la previsión de que éstas podrán ser satisfechas.

Por otro lado, como la diversidad de productos ofrecidos es tan amplia, se sirve y sirve como mecanismo de distinción entre grupos. Pero mirando por encima de las diferenciaciones que permita resaltar, la publicidad es un mecanismo de cohesión social que produce y reproduce desde su forma particular los estereotipos vigentes de una sociedad, exponiendo continuamente el conjunto de valores de esa sociedad. Por lo tanto vemos que la publicidad, además de inducir al consumo de bienes, es de hecho un consumo de signos, un objeto que puede consumirse a sí mismo.

A los fines de este trabajo hemos decidido hacer una división analítica entre la publicidad difundida por la radio, medios gráficos y televisión como publicidad tradicional, diferenciándola de este modo de la publicidad en Internet, puesto que en este medio la publicidad adquirirá características novedosas y particulares.

En este medio, algunas de las cuestiones que mencionamos antes adquieren otros matices. En primera instancia, algo que necesariamente hay que remarcar, ya que a veces lo evidente se torna invisible: aquí ya no podemos hablar de la publicidad como un producto democrático, desde el momento en que para acceder a ella hay que previamente tener acceso a la red Internet. Más groseramente aún, este acceso está condicionado previamente por tener acceso a una computadora con un cierto grado de tecnología incorporada y una línea telefónica. Con cada una de estas restricciones ya nos queda una importante porción de la población marginada de esta red de comunicaciones. Pero bien cierto es que, dentro de este universo más restringido, la publicidad conserva las características que mencionáramos antes.

Adaptado de *Internet*.

Grabación con acentos mexicano y uruguayo.

UNIDAD 3: guía EL OCIO

EL HORÓSCOPO MAYA (página 78)

Los mayas han sido los mejores observadores del cielo. Antes que ninguna otra civilización, dividieron el año en 365 días, 5 horas, 48 minutos y 46 segundos, sólo un segundo de diferencia respecto a nuestro calendario. Desde sus orígenes estudiaron la influencia de los astros en el destino. Usa trece símbolos, pues observa la bóveda celeste desde el centro de la vía láctea.

Esto auguran para los signos de:

BALAM (El jaguar valiente). 9 marzo - 5 abril.
Buen momento para viajar, porque penetra en el signo K'ambu, el faisán que viaja con el sol. Toma el relevo de los Xibkay. El encuentro con algún nativo de ese signo será positivo.

KAN (La serpiente sabia). 4 mayo - 31 mayo.
Chak-Xih-ek', el planeta del azar, regresa al signo, y ya es la tercera vez que los visita en las últimas semanas. Está incitando claramente a comprar lotería, pero eso no es ningún secreto.

DZEC (El alacrán). 24 agosto - 20 septiembre.
Siguen de buena racha. Esta semana penetra en el signo Pakám, la estrella de los negocios. Esto se ha de interpretar en dos sentidos. Uno, arreglar nuestras cuentas bancarias, porque va a ser muy beneficioso. Dos, invertir en lo que estábamos indecisos.

XIBKAY (El pejelagarto). 14 diciembre - 10 enero.
Enhorabuena, están dominados por Zazitum, la perla de la abundancia, que además les marca en el año entrante, el 97.

Adaptado de *El Semanal*.

UNIDAD 4: LA ECOLOGÍA

LA CAPA DE OZONO (página 108)

La capa de ozono es el escudo protector para la vida humana, vegetal y animal en la Tierra. Se encuentra en la segunda capa de la atmósfera, llamada estratosfera. Del sutil equilibrio entre la filtración, absorción, reflejo y emisión de las radiaciones depende la vida animal y vegetal. El sol irradia luz y calor y la capa de ozono filtra los rayos nocivos. Sin la capa de ozono no habría vida sobre la Tierra; una mínima reducción del ozono permite la entrada de radiaciones altamente peligrosas, causando cáncer de piel y ceguera. Al ser acumulativos, los rayos solares pueden provocar cáncer de piel a quien toma mucho el sol actualmente o lo ha tomado mucho anteriormente.
El mismo hombre es culpable de la desaparición de la capa de ozono, con la arriesgada tecnología del cloro; la industria utiliza cloro en ciertos plásticos, C.F.C.'s, extintores y sistemas de refrigeración.
Una molécula de cloro puede destruir 100.000 moléculas del ozono.
Los vuelos espaciales y los vuelos militares y civiles estratosféricos, también afectan a la capa de ozono.

Adaptado de *Ecologic*.

UNIDAD 5: COSMOPOLATINO EL MUNDO LATINO

EÑE QUE EÑE (página 135)

Ñ de españolísimo, españolear. Es la ñ del local de la calle Conde Duque, que en cuatro meses ha subido peldaño a peldaño hasta lo más alto, y de la terraza en Pº de la Castellana. Un nuevo concepto de bar al aire libre que quiere romper los esquemas de esta zona ñoña.

Entra fuerte rompiendo con los precios: de mañana 600 pesetas las copas y 300 las cañas; de noche 850 pesetas el combinado y 500 los refrescos. Como para ponerse de copas hasta el moño. Y muy apañado. El dueño quiere dar caña a la noche sin ensañarse ni sacar las uñas a nadie, y se da mucha maña en saber lo que le gusta a la peña y divertir sin caer en la música hortera para bailar: Tecno-pop y caribeña.

La terraza es una extensión del local. La siguiente hazaña de este emprendedor personaje será la de plantar una Ñ en el centro de Londres. Es el sueño de una noche de verano, que podría hacerse realidad en el año 97. Soñar desde luego no hace daño.

Adaptado de *Metrópoli*.

DOCUMENTOS
AUDIOVISUALES
ARRIBA EL TELÓN

MUJERES AL BORDE DE UN ATAQUE DE NERVIOS (páginas 19 y 20)

1.- (Llaman a la Puerta)
Carlos: ¡Buenos días!
Candela: ¡Ah!
Marisa: ¡Abra! Sabemos que está ahí.
5.- Candela: ¿Qué querían?
Carlos: Veníamos a ver el piso.
Candela: ¿Qué piso?
Carlos: Éste.
Candela: ¿*Pá* qué?
10.- Marisa: Para alquilarlo. ¿Para qué va a ser?
Carlos: Nos mandan de la agencia ... Urbis.
Candela: ¡Ah! En todo caso, pasen, pasen ... Yo no vivo aquí, la dueña es
               que ha bajado hace un momento.
         (Carlos y Marisa entran en el ático. Marisa lo observa todo.)
15.- Marisa: ¡Carlos!
Carlos: ¿Sí, mi amor?
Marisa: Esto no me gusta. Está muy alto.
Carlos: ¿Qué esperabas, cariño? Es un ático.
Marisa: Debe costar un ojo de la cara.
20.- Candela: ¡Carísimo, carísimo!
Carlos: Pues ... es un sitio ... maravilloso.
Marisa: Yo, lo que quiero es una casa. Y esto no es una casa-casa.
Candela: La muchacha tiene razón. Yo creo que deberían irse.
Marisa: No me dé la razón. Y deje de llamarme muchacha.
25.- (Marisa se dirige hacia el dormitorio, donde aparece el colchón quemado.)
Marisa: ¡Carlos!
Carlos: ¿Sí, cariño?
Marisa: Y esto ¿qué? También te parece maravilloso, ¿no?
Carlos: ¡Joder!
30.- Candela: ¡Ay, la Pepa! ¡Cómo es!
Marisa: Vámonos, por favor. Vámonos. ¡Carlos! ¡Carlos!
         (Carlos coge de la mesilla de noche una foto donde aparece su padre.)
Candela: ¡Deja eso! Usted, ¿qué es? Policía, ¿verdad?
Marisa: ¿Mi Carlos policía?
35.- Carlos: ¡No! ¡No! No soy policía.
         (Marisa coge a Carlos la foto de Iván)
Marisa: Pero... ¿éste no es tu padre?
Carlos: Sí.
Candela: Usted será muy educada, pero las cosas que no son de una no
               se tocan.
40.- Marisa: ¡Cállese! ¿Qué hace aquí?
Carlos: Pues, no lo sé.
Marisa: Y a ella, ¿la conoces?
Candela: Es la Pepa. ¿Quién va a ser? ¡La Pepa!
Marisa: ¿Conoces a Pepa?
45.- Carlos: No. Personalmente no, no la conozco.
         (Aparece Pepa, de repente, apoyada en el marco de la puerta.)
Pepa: Pues aquí estoy... ¿Sabes quién soy?

	Candela:	Pepa, ¿te has dado cuenta de la cama?
	Carlos:	Creo que sí. Y usted, ¿sabe quién soy yo?
50.-	Pepa:	Lo supe ayer. Aunque pueda ser tu madrastra, no me llames de usted, ¿eh? ¿Te ha mandado Iván a por la maleta?
	Carlos:	No, estamos buscando piso.
	Pepa:	¡Anda, qué casualidad! Pues me alegro de conocerte, aunque sea en estas circunstancias.
55.-	Carlos:	Hum. Ésta es Marisa.
	Pepa:	¿Quién?
	Marisa:	Yo.
	Pepa:	Ah, encantada.
60.-	Marisa:	Soy su novia. Vamos a casarnos.
	Pepa:	¡Cuánto me alegro! Yo soy Pepa, la ex-amante del padre de Carlos.
	Candela:	Nosotras tenemos que hablar, Pepa...
	Pepa:	Esta es Candela, una amiga.
	Candela:	¿Qué hay? Mucho gusto. Encantada.

UNIDAD 1: **muy** LA PUBLICIDAD

TELEFÓNICA: LA PRIMERA MULTINACIONAL ESPAÑOLA (página 46)

Mira a tu alrededor.
Cada segundo, alguien entra en Infovía,
sale al mundo por las autopistas de la información
o disfruta de los multimedia.

Por eso, Telefónica, tiene hoy
un gran futuro de negocio y rentabilidad
para compartir con todos.

Ahora, si tienes 50.000 pesetas,
puedes comprar acciones de Telefónica
con las mayores ventajas:
un 4% de descuento y 1 gratis por cada 20.

Acude ya a tu banco, caja, agencia o sociedad de valores.
Aprovecha esta gran oportunidad.
Invierte en Telefónica.

TELEFÓNICA, LA PRIMERA MULTINACIONAL ESPAÑOLA.

RÓTULOS

- Desde 50.000 pts.
- INFORMACIÓN 900 700 700.
- 4%.
- 1x20 gratis (manteniéndolas más de 12 meses).
- El folleto informativo de la oferta está registrado en la CNMV.
- A disposición del público : CNMV, SEPPA, Bolsas de Valores e intermediarios financieros que participan en la colocación de las acciones: Bancos, Cajas de Ahorros, Agencias o Sociedades de Valores.
- LA PRIMERA MULTINACIONAL ESPAÑOLA.
- TELEFÓNICA.

UNIDAD 3: **guía** EL OCIO

CUATRO CORAZONES CON FRENO Y MARCHA ATRÁS (páginas 69 y 70)

Bremón	¡Hortensia, cállate!
Hortensia	¡No quiero callarme! ... Todos hemos sido injustos contigo, y no me callaré. Ceferino acaba de descubrir una cosa que neutraliza los efectos de las antiguas sales...
Valentina Emiliano Ricardo	¿Eh?
Hortensia	Y que nos hará vivir años de felicidad indecible.
Ricardo	Pero, habla Ceferino.
Emiliano	Este tigre de la ciencia me da miedo.
Bremón	¿No os habéis amotinado muchas veces en contra mía porque no podíais aguantar una vida eterna?, pues quería proponeros una muerte a plazo fijo.
Ricardo Valentina	¿Una muerte a plazo fijo?...
Emiliano	¡Caray, qué proposición!...
Bremón	Pues quería eso, proponeros ser jóvenes y más jóvenes y al final morirnos de niños.
Emiliano	¿Morirnos de niños? Se me va la cabeza.
Bremón	Se me va la cabeza, no, Emiliano, lo que pasa es que dudas de mí, piensas que estoy loco, como todos lo pensabais en 1920. Pero venid aquí. En estos tubos de ensayo tengo un alcaloide, la "frigidalina", que no solamente conserva los tejidos sino que los rejuvenece. ¡Ah! Sí, sí, sí, e ingiriendo esto, de viejo se pasa a joven, de joven a adolescente, de adolescente a niño, y ya de la niñez a la muerte.
Emiliano	¿Y nos moriremos con el chupete?
Bremón	Sí, pero después de haber gozado de una vida hermosa y con la conciencia de una muerte segura, disfrutando de todo y por todo.
Ricardo	Pero entonces ya no seríamos corazones frenados.
Emiliano	No, ahora serían ustedes corazones con freno y marcha atrás.
Valentina	Cinco, cinco corazones con freno y marcha atrás.
Emiliano	No. Cuatro, porque ustedes harán lo que quieran, pero yo, esta vez no me tomo el mejunje.

••••

Bremón	Emiliano ¿tú no? ¿por qué?
Emiliano	Porque no, porque alguien tiene que seguir siendo inmortal para que les cuide a ustedes cuando sean pequeñitos. Ya verán ustedes lo bien que yo, les doy el biberón.
Ricardo	Pero, ¿estás seguro de lo que dices, Ceferino?
Bremón	¡Que sí, Ricardo, que lo he probado con los bichos del corral! A los que se lo he dado sin haberles dado antes las sales, han vuelto a la infancia de un modo súbito.
Ricardo	Pero, ¿nosotros volveríamos a la niñez gradualmente?
Bremón	¡Claro!, gradualmente. Viviríamos hacia atrás, día a día, toda la vida anterior.
Hortensia Valentina	¡Oh! ...
Ricardo	Pues yo me lo tomo ...
Bremón	¡Ricardo!...
Ricardo	Sí ... y tú, y tú, y tú. Todos ...
Bremón	No, no ,no ,no, no. Hortensia y yo no nos lo tomamos. Hortensia y yo no, porque tenemos que ser inmortales para ver morir a ese desgraciado de Heliodoro.
Hortensia	¡Amor mío! Heliodoro no vivirá más de tres o cuatro años. Si tiene 103, y sin sales...
Bremón	¿Con esa facha? ¡No me digas!
Ricardo	Pero naturalmente; ¿qué mas os da?
Bremón	NO, no, no ,no ,no.
Emiliano	¡Ya está! ...
Bremón	¡Emiliano!
Emiliano	¿Ya ?
Bremón	¿Te lo has tomado tú, Emiliano?
Emiliano	No, no señor, se lo he enchufado a don Heliodoro.
Todos	¿Qué?
Emiliano	¿No decía usted que si se lo dábamos a alguien que no había ingerido antes las sales, ese alguien volvía a la niñez de inmediato?
Bremón	Sí.
Emiliano	Pues se lo he sacudido a Atajú para que se vuelva niño y para que no siga siendo un obstáculo entre ustedes.
Bremón	Gracias.
Emiliano	Y ahí lo tengo, jugando a las canicas. ¡Ven aquí, ven aquí!
Todos	¿Qué? ¡Oh!

UNIDAD 4: GEA   LA ECOLOGÍA

GREENPEACE EN ESPAÑA (página 99)

GREENPEACE es una organización no gubernamental que trabaja con el objetivo de conservar el equilibrio ecológico del Planeta.

El día 27 de Abril de 1984 y tras muchos contactos con ciudadanos españoles comprometidos en la lucha ecologista, fue inaugurada oficialmente la sección de GREENPEACE en España.

••••

El trabajo de cada oficina de la organización se adapta a las circunstancias de cada país. GREENPEACE, con cerca de 70.000 socios, ha dedicado los últimos diez años a promover campañas tanto nacionales como internacionales.

La Antártida desempeña un papel fundamental en el equilibrio global del planeta. Sin embargo, sus ecosistemas son extremadamente frágiles. Greenpeace ha luchado durante más de 10 años para mantenerlos a salvo de la explotación mineral y petrolífera.
En 1987, Greenpeace instala en la Antártida la primera base permanente de una organización no-gubernamental.
Entre los miembros de la expedición, Xavier Pastor, Presidente de Greenpeace España.
El principal objetivo de esta base era estudiar los diferentes ecosistemas y preservar la integridad del entorno.
En 1991 los países integrantes del Tratado Antártico firmaron el Protocolo de Madrid, que prohíbe cualquier explotación en la zona durante 50 años.
Una vez conseguida la firma de este protocolo, la organización desmantela su base Antártica, pero continúa visitando e inspeccionando la zona para asegurar que las medidas medioambientales se cumplen.
Greenpeace propone que la Antártida sea declarada definitivamente Parque Mundial.

UNIDAD 5: COSMOPOLATINO EL MUNDO LATINO

DON JUAN. EL BURLADOR SIN EDAD (página 128)

Sra. Mayor: Don Juan.
Joven: ¡Ay, Don Juan!
... Él es Don Juan, nació en España hace más de 350 años. Su leyenda empieza exactamente en 1630, con la publicación de "El burlador de Sevilla" y "Convidado de piedra"
... Sevilla era, gracias al Guadalquivir, la ciudad a la que llegaban las riquezas coloniales. El ambiente portuario, lleno de todo tipo de aventureros, generaba el fermento idóneo para la aparición de un personaje como Don Juan.
La obra "El burlador de Sevilla" y "Convidado de Piedra", atribuida al fraile mercedario Tirso de Molina, tiene un claro afán moralizante. Mezcla el perjurio, el crimen y la burla, para demostrar que nadie puede crearse sus propias normas, que nadie puede creer que la justicia, humana o divina, no le alcanzará nunca.
...Un hombre sin nombre. Toda una declaración de principios. Don Juan se considera a sí mismo como la encarnación del varón, de sus instintos. Nada se dice en "El burlador de Sevilla" de la edad de Don Juan, sabemos que es un caballero, su nombre va precedido del tratamiento Don, y parece que tiene atractivo físico; pero lo que con toda seguridad le caracteriza, es su capacidad de improvisación, su eficacia en el halago. Es un hombre que sabe hablar, desenvolverse. Sale de cualquier situación. Esta habilidad le da renombre, la fama trasciende al individuo.
...Hay un elemento esencial en Don Juan y es la seducción sin pausa. No importa qué mujer conquiste, importa conquistar, mantener y multiplicar sin tregua la actividad, como sea.
Para Don Juan sólo existe el presente, el futuro queda muy lejos, el pasado se ha borrado. Lo único que sobrevive de él es el recuerdo de las múltiples seducciones, atesoradas en una lista que suele custodiar el criado.

LOS ACENTOS

A lo largo del libro hemos presentado algunos textos que han sido grabados con diferentes acentos peninsulares e hispanoamericanos.

Deseamos, fundamentalmente, que el estudiante de nuestra lengua entre en contacto con estos acentos, le resulten familiares y pueda observar las variaciones existentes respecto al acento peninsular "mesetario".

Dada la gran riqueza de nuestra lengua, también en acentos, hemos seleccionado unas muestras que sin ser representativas de todos ellos al menos sean significativas del fenómeno que pretendemos dar a conocer.

- ■ acento catalán (textos páginas 16, 58, 82 - El reciclado y el ecoturismo -)
- ■ acento andaluz (textos páginas 65, 118, 123)
- ■ acento mexicano (textos páginas 103, 141)
- ■ acento uruguayo (textos páginas 37, 95, 104, 131,141)

Los textos leídos con estos acentos no guardan relación necesariamente ni con el sexo ni con el país o zona de su autor.

La siguiente tabla de rasgos fonéticos y morfosintácticos puede servir para orientar un estudio más en profundidad de los rasgos aparecidos en las grabaciones:

	Catalán	Andaluz	Mexicano	Uruguayo
1. Yeísmo: No distinción entre /y/, /ll/			●	●
2. Seseo: /s/ y /θ/ por /s/		●	●	●
3. Ceceo: /s/ y /θ/ por /θ/		●		
4. Confusión /r/ y /l/ en posición postnuclear			●	
5. No realización de la /r/ final	●	●		
6. Lateralización de /r/ por /l/				●
7. Confusión /r/ y /l/ implosivos		●		
8. Distinción en pronunciación de b y v				●
9. Aspiración de la j como h aspirada			●	
10. Mantenimiento de la /d/ intervocálica				●
11. Velarización de la /a/ ante /l/ final	●			
12. Velarización de la /l/ especialmente al final	●			
13. Palatización del grupo final /ll/	●			
14. Aspiración de la /s/ implosiva		●		
15. No realización de la /s/ al final de sílaba o palabra		●		
16. Apertura de vocales acentuadas	●			
17. Voseo: *vos* por *tú* y *ustedes* por *vosotros*			●	●
18. Preferencia del uso del Pretérito Indefinido por el Perfecto				●

Se indican referencias de las fotografías que representan personajes públicos, lugares u objetos cuyo nombre o significado hemos creído que podía resultar útil, o necesario, para quien trabaje con este manual. No se repiten las que ya llevan pie de foto, ni se dan datos de personajes anónimos o de objetos o lugares evidentes.

Pág. 19: Pedro Almodóvar; fotograma de "Mujeres al borde...". **Págs. 20 y 21:** Antonio Banderas y Carmen Maura, dos de los protagonistas de "Mujeres al borde...". **Págs. 32 y 34:** marcas de empresas españolas: El Corte inglés -cadena de grandes almacenes-, Chupa Chups -famosos caramelos con palo-, Correos, Seat -compañía automovilística-, Iberia -compañía aérea-, Campsa -compañía de petróleos-, Cola-Cao -marca de chocolate en polvo-, Renfe -ferrocarriles españoles-. **Pág. 39:** antiguos anuncios de comercios madrileños. **Págs. 40 y 41:** antiguos carteles y envases de productos de Perfumería Gal. **Págs. 46 y 47:** Publicidad de Telefónica. **Págs. 58 y 71:** Cartel mural de la versión cinematográfica de *La Celestina* (año 1996). **Pág. 64:** Foto de fondo de ilustración: Nueva York. **Pág 82:** Cascada en Picos de Europa (España). **Págs. 91 y 92:** Parque Nacional de Ordesa (Huesca, España). **Págs. 112 y 114:** Mar mediterráneo en las Islas Baleares (España). **Págs. 116 y 117:** A) escultura de Fernando Botero (Plaza de Colón, Madrid, España). B) detalle de versión moderna de Las Meninas de Velázquez. C) Cuadro de Frida Kahlo. E) La mezquita de Córdoba. **Pág. 123:** Fiesta en el Barrio de Triana (Sevilla, España). **Pág.128:** La Torre del Oro y el río Guadalquivir (Sevilla, España). **Pág. 131:** Casa de un pueblo español (Mijas, Málaga).